Hog dy Fwyell

CASGLIAD CYFLAWN
O GERDDI
J. GWYN GRIFFITHS

HOG DY FWYELL

Golygwyd gan Heini Gruffudd

Argraffiad cyntaf: 2007

Dymuna'r cyhoeddwyr gydnabod cymorth ariannol
Cyngor Llyfrau Cymru.

Rhif Llyfr Rhyngwladol: 978 0 86243 998 9

Cyhoeddwyd ac argraffwyd yng Nghymru
gan Y Lolfa Cyf., Talybont, Ceredigion SY24 5AP
gwefan www.ylolfa.com
e-bost ylolfa@ylolfa.com
ffôn 01970 832 304
ffacs 832 782

Cynnwys

Rhagair

FLWYDDYN NEU DDWY cyn iddo farw, meddai fy nhad ei fod am gyhoeddi casgliad cyflawn o'i gerddi. Fel y bu, treuliodd ei flynyddoedd olaf yn casglu ac yn golygu deunydd llenyddol ac academaidd fy mam, Kate (Käthe) Bosse Griffiths. Gwelwyd ffrwyth y gwaith hwn yn y cyfrolau *Amarna Studies* (2001), a *Teithiau'r Meddwl* (2004). Bellach disgynnodd y gwaith o baratoi'r casgliad hwn arna i.

Bu'r gwaith yn gymharol hawdd i gychwyn. Roedd gwaith fy nhad wedi ei gasglu i bum cyfrol, *Yr Efengyl Dywyll* (1944), *Cerddi Cadwgan* (1953), *Ffroenau'r Ddraig* (1961), *Cerddi Cairo* (1969) a *Cerddi'r Holl Eneidiau* (1981), ac roedd ganddo rai cyfieithiadau yn *Cerddi o'r Lladin* (1962) a *Cerddi Groeg Clasurol* (1989).

Pan aethpwyd ati i glirio'i eiddo, cafwyd bod llawer o'r cerddi hyn ar ffurf llawysgrif a theipysgrif. Penderfynwyd cyhoeddi yma'r fersiynau cyhoeddedig. Ond daethpwyd o hyd hefyd i nifer o gerddi eraill. Lle roedd fersiynau o'r rhain ar gael mewn teipysgrif, neu ar ffurf llawysgrif orffenedig ei golwg, a'r rhain wedi eu hysgrifennu ar ôl 1980, penderfynwyd eu cynnwys yma.

Roedd ugeiniau o gerddi eraill yn hawlio sylw. Roedd nifer yn amlwg yn perthyn i gyfnod Cylch Cadwgan, ac yn ffrwyth cystadleuaeth rhwng aelodau'r cylch neu'n rhai a ysgrifennwyd ar gyfer trafodaeth. Roedd yno hefyd ddwy bryddest. Gan fod fy nhad wedi penderfynu peidio â chyhoeddi'r rhain, penderfynwyd cadw at hyn, a derbyn nad oedd yn fodlon ar eu ffurf orffenedig, ac eithrio pedair cerdd a oedd yn rhan o un ohonynt. Ond yma ac acw daethpwyd o hyd i weithiau mewn teipysgrif yr oedd fy nhad yn amlwg wedi ystyried eu cyhoeddi, a phenderfynwyd cynnwys rhai o'r rhain, lle roeddent yn ehangu ychydig ar faes ei gynnyrch. Cyhoeddir yma 32 o gerddi na chawsant eu cyhoeddi yn ei gyfrolau. Erys rhyw 25 o gyfieithiadau o gerddi Almaeneg a Groeg a allai berthyn i gasgliad arall.

Cafwyd nosweithiau difyr yn paratoi'r casgliad yn ystod y cyfnod wedi Eisteddfod Abertawe 2006, a braf oedd y profiad. Treuliwyd peth amser yn chwilota hanes duwiau a chymeriadau hanesyddol Rhufain, Groeg a'r Aifft. Teimlwn y byddai'n haws i gynulleidfa heddiw, na chafodd addysg glasurol, ddeall y cerddi gyda throednodiadau esboniadol cryno. I farnu faint o esboniadau yr oedd eu hangen, meddyliais am fy mhlant fy hun: maddeued hwy imi os bu imi danfarnu eu gwybodaeth. Ni newidiais ddim o'r cerddi, ac eithrio diweddaru'r orgraff hwnt ac yma a chywiro rhai gwallau teipio.

Barnwyd y byddai'n dda cynnwys rhagymadrodd byr yn rhoi hanes J.G.G., a chyn cynnwys y cyfrolau o'i eiddo ychwanegwyd rhai nodiadau am ei hynt a'i ddiddordebau. Mae yma hefyd rai lluniau teuluol.

Rwy'n gobeithio y caiff y casgliad hwn groeso gan bawb sy'n ymddiddori yn llenyddiaeth Gymraeg yr ugeinfed ganrif: cânt weld yma gynnyrch cenedlaetholwr digymrodedd, Clasurydd, carwr bywyd a Christion pybyr.

I'r sawl a oedd yn adnabod fy nhad, gobeithio y bydd y cerddi yma, o'u cyhoeddi gyda'i gilydd, yn dwyn atgofion cyfoethog.

Diolch i Robat ac eraill am gyngor doeth a difyr wrth baratoi'r gwaith, ac i Wasg y Lolfa am bob rhwyddineb wrth gyhoeddi ac argraffu. Diolch hefyd i'r Athro Ceri Davies, Abertawe, am gyfoeth o wybodaeth werthfawr ac am gymorth mawr gyda'r troednodiau yn arbennig.

HEINI GRUFFUDD

Abertawe
Gwanwyn 2007

Rhagymadrodd

GANED JOHN GWYNEDD GRIFFITHS yn y Porth, y Rhondda, ar Ragfyr 7, 1911. Roedd ei dad, y Parchedig Robert Griffiths, yn hanu o'r Ponciau, Rhosllannerchrugog, ac yn weinidog ar gapel Moreia, Pentre, ar ôl cyfnod yn Sir Benfro. Roedd yntau'n perthyn i deulu niferus. Un o'i frodyr oedd John Griffiths, a fu'n brifathro Coleg y Bedyddwyr, Caerdydd. Magwyd mam J.G.G., Jemima, neu Mima Griffiths (Davies gynt), ar fferm Maestwynog, Llanwrda, Sir Gaerfyrddin. Cychwynnodd hithau bregethu'n ifanc, ac roedd ei bryd ar fynd yn genhades i Fryniau Casia, India, pan aeth i Goleg Caerfyrddin, lle y cyfarfu â'i darpar ŵr.

Cafodd ei rieni bump o blant. Yr hynaf oedd Elizabeth, neu Bessie. Hi oedd y ferch gyntaf i ennill gradd dosbarth cyntaf yn y Gymraeg ym Mhrifysgol Cymru Caerdydd. Bu farw'n annhymig, gyda'i gŵr, y Parchedig Huw Jones, mewn damwain yn nhŷ capel y Gopa ym Mhontarddulais. Bessie oedd yr aelod cyntaf o'r teulu i ymuno â Phlaid Cymru. Mae Kate Roberts yn cyfeirio at y farwolaeth mewn llythyr at D. J. Williams[1]: "Dyna drasiedi ofnadwy oedd marw Bessie Griffiths, chwaer Gwyn Griffiths, a'i gŵr ym Mhontarddulais. Adwaenwn Bessie'n dda iawn yn y Rhondda 'slawer dydd. Geneth fach siriol, gywir, hapus, weithgar."

Augusta (neu Auggie / Ogi i'w chydnabod), oedd yr ail. Bu hithau'n athrawes, ar ôl cael ei hyfforddi yn Dundee, a oedd yn beth digon anarferol ar y pryd. Priododd â Stephen Davies, yn wreiddiol o fferm gyfagos i Faestwynog, a chawsant flynyddoedd dedwydd iawn pan oedd yntau'n brifathro yn Ysgol Glanrafon, rhwng Corwen a'r Bala.

J. Gwyn Griffiths oedd y brawd canol. Ar ei ôl ef daeth David, neu D. R. Griffiths, a fu am gyfnod yn weinidog ac yna'n ddarlithydd yng Ngholeg y Bedyddwyr, Caerdydd, ac yna yng Ngholeg y Brifysgol, Caerdydd. Cyhoeddwyd cyfrol o'i gerddi yntau[2] ac mae'n awdur rhai emynau poblogaidd.

Yr olaf o'r brodyr oedd Gwilym. Daeth yn brifathro ar nifer o ysgolion, gan gynnwys Glyn Ceiriog, Gwersyllt, Pendorlan a gorffen ei yrfa yn brifathro ar ysgol uwchradd Bryn Elian ym Mae Colwyn. Un o ddigwyddiadau lliwgar ei fywyd oedd dianc o'r llu awyr yn ystod yr Ail Ryfel Byd, am na allai oddef yr ymarferion lladd. Treuliodd rai blynyddoedd ar grwydr, gan gynnwys cyfnod yn Rhydychen pan ddefnyddiai gerdyn adnabod tad Pennar Davies. Ar ddiwedd y rhyfel cerddodd i bencadlys Scotland Yard a chafodd ei garcharu.

Cafodd J.G.G. fagwraeth ddiwylliedig a Chymraeg. Roedd Capel Moreia yn y dauddegau'n ganolfan gymdeithasol a diwylliannol fyrlymus. Yn ogystal â chyrddau'r Sul a'r wythnos, byddai operetau'n cael eu perfformio, a bri ar actio a chanu. Cymerodd J.G.G. ran yn y bwrlwm.[3] Roedd ei dad, y gweinidog, yn ddylanwad mawr ar Rhydwen Williams, a oedd ychydig yn iau na J.G.G. Meddai Rhydwen iddo gael ei hudo gan ddawn berfformio a phregethu Robert Griffiths.[4]

Mynychodd J.G.G. ysgol sir y Porth, y Rhondda. Cymhwysodd ar gyfer tair ysgoloriaeth brifysgol. Bu'n fyfyriwr yng Ngholeg y Brifysgol, Caerdydd o 1928 hyd 1934, gan ennill gwobr am y myfyriwr gorau yn y Gymraeg yn 1930, ac ennill gradd dosbarth cyntaf yn Lladin yn 1932, gyda'r Saesneg a Chymraeg yn is-bynciau. Yn 1933 enillodd radd dosbarth cyntaf mewn Groeg, ac yn 1934 enillodd ddiploma athrawon, eto yn y dosbarth cyntaf.

Cydfyfyriwr i J.G.G. yn y coleg oedd Pennar Davies. Dywedir mai gyda J.G.G. y dechreuodd Pennar siarad Cymraeg, er iddo astudio'r pwnc eisoes yn yr ysgol a'r brifysgol.[5]

Aeth J.G.G. yn ei flaen i wneud gwaith ymchwil gan ennill gradd M.A. (Lerpwl) ar ddylanwad yr Hen Aifft ar gyltiau crefyddol Groeg yn y cyfnod Myceneaidd. Dysgodd Eiffteg a Hebraeg yn y cyfnod hwn.

Rhwng 1936 ac 1937 bu'n gynorthwywr archeolegol gyda'r Egypt Exploration Society yn Sesebi, Nwbia Isaf. Ac yntau'n Gymrawd Prifysgol Cymru rhwng 1936 ac 1939 astudiai yng Ngholeg y Frenhines, Rhydychen, ar bwnc y Cweryl rhwng Horws a Seth, ac enillodd radd D.Phil. Rhydychen am gynnyrch y cyfnod hwn yn 1949.

Roedd y cyfnod hwn yn un allweddol. Yn gweithio yn Amgueddfa'r Ashmolean yn Rhydychen ar y pryd roedd Kate Bosse, yn enedigol o Wittenberg, yr Almaen, a oedd wedi ffoi rhag erledigaeth y Natsïaid, ar ôl iddi golli ei swydd mewn amgueddfa yn Berlin. Arweiniodd hyn at berthynas oes, ac at flynyddoedd hir o gydweithio ar faterion llenyddol ac Eifftolegol.[6]

Yn 1939, ar Fedi 13, priododd y ddau a'r rhyfel yn cychwyn, ac ymgartrefu yn y Rhondda, a J.G.G. yn athro Lladin yn Ysgol Sir y Porth. Roedd Rhydwen Williams yn ymwelydd cyson (daeth yn weinidog i'r Rhondda erbyn diwedd y rhyfel) ac roedd Pennar Davies ar y pryd yn fyfyriwr yng ngholeg Mansfield, Rhydychen, ond byddai'n dal cyswllt agos â J.G.G.

Roedd y newid yn un mawr i K.B.G. Dechreuodd ddysgu Cymraeg. Mewn sgwrs radio o'i heiddo (27 Hydref 1942) meddai, "It was in Oxford that I heard the first spoken Welsh, when my husband told me: 'Rwy'n dy garu di.'" Cafodd gyfle i ymddiddori mewn llenyddiaeth, a bod yn rhan o gymdeithas ddeallusol newydd, gan osgoi yr un pryd yr amgylchiadau anodd i'w theulu yn yr Almaen. Yn y cartref newydd y cyfarfu grŵp o lenorion ifanc, sef Cylch Cadwgan, gyda J.G.G., Rhydwen Williams a Pennar Davies yn aelodau amlwg. Roedd D. R. Griffiths yn rhan o'r cylch, a chyfrannodd y disgybl disglair, Gareth Alban Davies, at *Cerddi Cadwgan*. Byddai George M. Ll. Davies a Kitchener Davies hefyd yn cymryd rhan mewn rhai cyfarfodydd. Un arall â chysylltiad â'r cylch oedd Euros Bowen. Roedd aelodau'r cylch yn genedlaetholwyr, yn Gristnogion ac yn heddychwyr, ond byddent hefyd yn rhoi lle amlwg i serch ac i ddiwylliannau eraill yn eu llenyddiaeth.

Er na pharhaodd y cylch am gyfnod hir – yn 1943 cafodd J.G.G. swydd athro Lladin yn Ysgol Ramadeg y Bala – parhaodd cydweithio llenyddol y cylch am flynyddoedd. Yn 1946 cyhoeddwyd y rhifyn cyntaf o gylchgrawn *Y Fflam* o dan olygyddiaeth Euros Bowen, gyda J.G.G. a Pennar Davies yn cynorthwyo. Rhoddodd y cylchgrawn lwyfan i'w gwaith hwy ac eraill, ar adeg pan oedden nhw'n troi cefn am resymau gwleidyddol ar gylchgrawn *Y Llenor* a phan oedd eu gwaith yn cael ei wrthod gan gylchgronau eraill am fod cynnwys eu cerddi'n rhy feiddgar.

Yn y Rhondda y ganwyd i J.G.G. a'i wraig eu mab cyntaf, Robert Paul, a ddaeth i sefydlu Gwasg y Lolfa. (Bu farw plentyn cyntaf o gyflwr cynhenid.) Yn Nolgellau wedyn y ganwyd eu hail fab, Gwilym Heinin, ond byr oedd eu harhosiad yn Sir Feirionnydd. Yn 1946 cafodd J.G.G. ei benodi'n ddarlithydd cynorthwyol yn y Clasuron yng Ngholeg y Brifysgol, Abertawe, ac yn ddarlithydd yn 1947.

Bu'n ddarlithydd ymchwil (Darlithydd Ymchwil Lady Wallis Budge) o 1957 hyd 1958 yng Ngholeg y Brifysgol, Rhydychen, ac yn 1959 cafodd ei ddyrchafu'n ddarlithydd uwch yn Abertawe. Cyhoeddwyd astudiaeth ganddo ar sail ei radd doethuriaeth, *The Conflict of Horus and Seth,* yn 1960, ac astudiaeth arall ar Osiris, *The Origins of Osiris,* yn 1966. Yn 1965 cafodd ddyrchafiad yn ddarllenydd, ac yn 1965-66 roedd yn Athro Gwadd yn y Clasuron ac Eifftoleg ym Mhrifysgol Cairo. Cafodd ei ethol yn Aelod Gohebol o Sefydliad Archeolegol yr Almaen, Berlin, yn 1966, ac yn 1965 ac 1966 cafodd wobrau ymchwil Leverhulme ar gyfer gwaith ar Apuleius, *Metamorphoses XI,* a gyhoeddwyd o dan y teitl *The Isis-book* (1975). Yr oedd eisoes wedi cyhoeddi cyfieithiad a golygiad o *Plutarch, De Iside et Osiride,* 1970. O 1970 i 1978 roedd yn olygydd y *Journal of Egyptian Archaeology,* ac yn 1973 cafodd Gadair bersonol yn y Clasuron yn Abertawe. Cyhoeddwyd cyfieithiad Cymraeg ganddo o waith Aristoteles, *Aristoteles: Barddoneg* yn 1978, a ailgyhoeddwyd yn 2001 yn Eisteddfod Genedlaethol Sir Ddinbych. Treuliodd gyfnod yn Athro Gwadd ym Mhrifysgol Bonn a Tübingen, a bu'n Gymrawd ar Ymweliad yng Ngholeg yr Holl Eneidiau, Rhydychen. Enillodd ymhen amser raddau ychwanegol am astudiaethau ar yr Hen Fyd, gan gynnwys D.Litt. (Rhydychen) a D.D. (Cymru).

Yn ystod ei yrfa golegol, un o'i gyfraniadau arbennig oedd cyflwyno dysgu Eifftoleg yn y Brifysgol. Ymhen amser bu ganddo ran mewn denu Casgliad Wellcome o greiriau Eifftaidd i'r Brifysgol ar ddechrau'r 1970au, gyda'i wraig yn Guradur, ac ymhen amser codwyd adeilad priodol i gartrefu'r casgliad, a agorwyd yn 1998, blwyddyn marw Kate Bosse Griffiths.

O'i ddyddiau cynnar bu J. Gwyn Griffiths yn weithgar gyda nifer o fudiadau Cymreig. Roedd yn aelod brwd o U.C.A.C., a chafodd ei ethol yn llywydd ar y mudiad yn 1946. Yn Abertawe roedd yn perthyn i gylch o rieni a ymgyrchodd o blaid sefydlu ysgol Gymraeg gyntaf y dref, a gychwynnwyd yn 1949 (Ysgol Gymraeg

Lôn-las). Yn 1951 cynullodd gyfarfod cyntaf Adran Glasurol Urdd y Graddedigion, gyda'r nod o gyfieithu'r clasuron i'r Gymraeg. Yr oedd hefyd yn bregethwr lleyg brwd ar hyd ei oes, tan rai blynyddoedd cyn ei farw.

Roedd yn aelod cynnar o Blaid Cymru. Bu'n ymgeisydd dros y Blaid mewn nifer helaeth o etholiadau lleol, yn bennaf yn ward Llansamlet, Abertawe. Bu hefyd yn ymgeisydd seneddol yn etholaeth Gŵyr ac roedd mewn cyswllt cyson â Gwynfor Evans, yn gyfaill ac yn gydweithredwr gwleidyddol. Roedd yn aelod o Bwyllgor Gwaith y Blaid, a bu'n olygydd *Y Ddraig Goch* a'r *Welsh Nation*, cyfnodolion y Blaid.

Cychwynnodd farddoni'n gynnar. Mae peth o'i gynnyrch i'w weld mewn papurau a chylchgronau. Gydag amser gwelir bod ei gerddi'n rhoi lle amlwg i faterion gwleidyddol Cymru, yn lleol ac yn genedlaethol, a cheir cerddi i gyfeillion ac i ddigwyddiadau cysylltiedig â hynt Cymru'r dydd. Mae ei gred Gristnogol i'w gweld yn glir, er ei fod yn ymwrthod â dehongliadau ffwndamentalaidd ohoni. Nodwedd arbennig o'i gerddi yw'r cyfeiriadau mynych at grefydd a chwedloniaeth yr Hen Fyd, yr oedd mor gyfarwydd ag ef, a gallai weld Cristnogaeth yng nghyd-destun y crefyddau hynafol hyn a chrefyddau eraill. Mae lle amlwg hefyd, serch hynny, i'w brofiadau personol gyda phwyslais ar undod cnawd ac ysbryd a chyfoethogir ei gynnyrch barddol gan ei ymweliadau tramor.

Cyhoeddodd nifer o ysgrifau a gweithiau o natur wleidyddol gan gynnwys, *Anarchistiaeth* (1944), ac *Y Patrwm Cydwladol* (1949), ac yn *I Ganol y Frwydr* (1970) casglodd rai o'i ysgrifau llenyddol. Roedd yn gyfaill i D. J. Williams. Golygodd gyfrol deyrnged iddo yn 1965, a golygodd gasgliad o'i weithiau, *Y Gaseg Ddu* (1970), yn ogystal â llunio crynodeb o'i fywyd yn y gyfres *Bro a Bywyd* (1982). Casglodd gerddi Waldo Williams a phwyso arno i'w cyhoeddi.

Ac yntau'n hyddysg mewn Almaeneg, Groeg a Lladin, lluniodd gyfieithiadau o gerddi'r tair iaith, a golygu casgliadau o gerddi yn y ddwy olaf (*Cerddi o'r Lladin* [1962], *Cerddi Groeg Clasurol* [1989]).

Erbyn yr 1990au roedd ei waith gwleidyddol fwy neu lai wedi dod i ben, ond byddai'n parhau i fod yn llythyrwr brwd (o dan ryw ugain o ffugenwau) i bapurau dyddiol. Byddai'n dal i farddoni, ac ymroes ar ôl ymddeol i'w astudiaethau ar yr Hen Fyd, a chyhoeddi rhai o'i weithiau mwyaf swmpus, gan gynnwys *The Origins of Osiris and his Cult* (1980), *Atlantis and Egypt* (1991), *The Divine Verdict* (1991), a *Triads and Trinity* (1996), yn ogystal â chyfrannu i gyhoeddiadau eraill, gan gynnwys *The Cambridge History of Judaism* (1999).

Ymhyfrydai ymhen amser yn ei saith o wyrion ac wyresau, ac yna yn ei or-wyrion a gor-wyresau. Cyfnod cymharol fyr o anhwylder a gafodd cyn marw ar Fehefin 15, 2004, yn 92 oed.

YR EFENGYL DYWYLL

A CHERDDI ERAILL

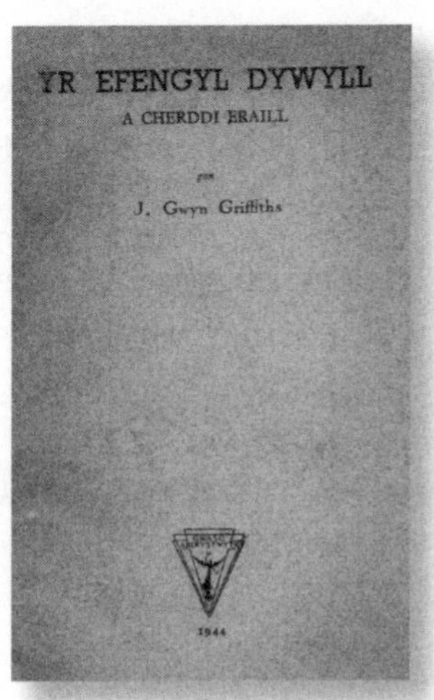

(Gwasg Aberystwyth, 1944)

Cafodd rhai o'r cerddi hyn eu cyhoeddi gyntaf yn *Y Faner, Y Llenor, Heddiw, Seren Cymru, Yr Efrydydd, Caniadau'r Dyddiau Du*, a'r *Western Mail.*

Yn 1944 roedd J. Gwyn Griffiths yn athro yn y Bala, ar ôl cyfnod yn athro yn Ysgol Ramadeg y Bechgyn, y Porth, Rhondda, ond mae nifer o'r cerddi hyn yn perthyn i gyfnod cyfarfodydd Cylch Cadwgan.

Mae cysgod yr Ail Ryfel Byd yn drwm ar y cerddi, a cheir yma ymateb heddychwr a Christion i'r gyflafan. Mae diddordeb yn yr Hen Fyd yn amlwg, a cheir yma hefyd gerddi serch, rhai personol, rhai gwleidyddol ac eraill yn ddychanol.

Roedd yr ymateb i'r gyfrol yn amrywiol a rhai yn amau chwaeth yr ergydio a'r dychan, a phwnc rhai o'r cerddi.

"Bardd cynhyrfus ei awen, a beiddgar." Nantlais

"Erys yn ddarlun llym a thrist a gwir o'n cyfnod ni." D. Llywelyn Jones

"Y mae chwaeth Mr Griffiths wedi methu'n arswydus." Iorwerth Peate

"Sefais yn hir uwchben llawer gair ac ymadrodd yn y llyfr... Ceir olion gwir grefftwr ar y cwbl sydd yma. Digon imi yw dweud bod dwy farn ar yr aelwyd hon am y gyfrol hon." Myfyr Hefin

"Mr Griffiths can hit hard and effectively as in his 'A yw eich Taith yn Hollol Angenrheidiol?'" Celt

"Clywir acen y proffwyd a theimlir greddf y bardd mewn ambell gân fel 'Quo Vadis?'... Eithr onid anhepgor bardd, hefyd, yw *chwaeth*?" John Wesley Felix

"Y mae cynyrfiadau bythol y cnawd cyfoethog yn y gân 'A wyddost ti?' a chyffes yr enaid tlawd yn y soned onest 'Quo Vadis?'. Ac y mae galar yr holl oesoedd yn niwedd y gerdd i'r llanc a foddodd... Dyma ddarnau o frodwaith cyntefig barddoniaeth." Tom Parry

"Ffysig cryf yw'r gyfrol hon. Rhaid wrth ffysig weithiau ond ni ellir byw arno." R. S. Rogers

YR EFENGYL DYWYLL

"O'th flaen, O Dduw, y deuwn,
Gan sefyll o hir bell;
Coffáwn sefyllfa'r gwledydd
A'u ffawd er gwaeth a gwell.
Ond gwybod beth i ofyn
Sy'n anodd gennym ni,
A thywyll i'n calonnau
Yw ffordd Dy feddwl Di."

(Clywais am gyrch danheddog
A'i leng picellau tân
Yn casglu i'w wregys marwol
Ugeinmil einioes lân.
Daeth sôn am loywlun lanciau
Yn pydru yng nghylla'r lli)
"Ond gwybod beth i ofyn
Sy'n anodd gennym ni."

(Clywais am wae'r dinasoedd
Lle dwed y feichiog wan,
Os byddi fyw ar dy eni
Cei lwgu yn y man.
Clybûm amenog ddiolch
Am fraster ein bwrdd ni)
"Ond tywyll i'n calonnau
Yw ffordd Dy feddwl Di."

A YW EICH TAITH YN HOLLOL ANGENRHEIDIOL?[7]

Amheuaf yn fawr, arholwr llym;
ac eto…
Heibio'r pentyrrau celaneddau,
y llwythi anwireddau,
y ffrydiau gwaed, y creigiau bombast,
y trefi sarn a'r darnau ysgerbydau;
trwy garthffos y cynnydd deg-a-thrigain y cant
mewn clefydau gwenerol;
drwy'r fforestydd twyll,
stormydd y Weinyddiaeth Hysbysebu[8]
(llwch y "Byd Newydd" yn ein llygaid),
trwy biswail addewidion cyfalafwyr
gydag arian a chwant yn uchel
a bwyd a serch yn isel,
drwy'r rhesi plant hen-wynebog
a hunllef sgrech y ffatrïoedd
a'r plenau fry yn ysgyrnygu tân:
y ffordd hon yr awn,
ffordd y gwaed a'r chwys a'r dagrau
a Duw a ŵyr i ble.
Fy nhro i ydyw gofyn:
A YW'R DAITH HON YN HOLLOL ANGENRHEIDIOL?

ER COF

Am Goronwy Harcombe, H.M.S. Dunedin[9]

Bu'r newyddion yn hir yn dod,
ond daethant o'r diwedd –
mewn pryd i'r Nadolig.
Ydyw, y mae'r llanc wedi marw,
yn y môr y mae ei fedd.
Y mae diwedd i'n pryder,
diwedd i'r nosweithiau aflonydd,
diwedd i ddisgwyl teligramau,
diwedd i ddarllen â llygaid blin
bob hanes am longau mawrion
yn gorchfygu
neu'n orchfygedig.
Gallwn eistedd yn llonydd yn awr frig nos
heb blethu dwylo
i weddïo...
O Dduw! Yn lle'r eang ymerodraeth
a Rhyddid a Gweriniaeth
na chawn y crwt yn ôl!

TYN HI I LAWR

(i T. E. Nicholas)[10]

Tyn hi i lawr, O Gymrawd,
Y faner eofn goch,
Cyhoedda ar stondin unig
Bellach dy neges groch.

Gwawr-freuddwyd Marx a Lenin,
Fe'i gyrrwyd mwy ar chwâl,
Yr hyf gymdeithas heriog,
Yr Internationale.[11]

"Weithwyr y byd, ymunwch!
Torrwch y gadwyn ddur!"
Mor chwith y torrir cwlwm
Yr unol gadwyn bur.

Do. Crynodd Cyfalafwyr
Ac ambell Gristion sâl
Yn sŵn cyd-anthem frawdol
Yr Internationale.

Ond heddiw, Gymrawd ffyddlon,
Ni cheir y dorf gytûn:
A ballodd nwyd gwrthryfel
Yn Rwsia fawr ei hun?

Bydd gwae i'r proletariat
Ym Mharis a Bengal
A gwin i'r glwth yn angladd
Yr Internationale.

MOLAWD AFON NIL

(Addolid yr afon gan yr Hen Eifftiaid)

O Nil ein Duw, adnebydd nerth dy fron,
A gwêl y wyrth a greaist yn ein tir,
O fryniau Meröe[12] hyd demlau On,[13]
Lluniaist dy ddelw yn ogoniant clir.
Bu farw Osir,[14] y mae Hor[15] yn fud,
Ond gyda thi fe adnewyddir byw.
Lle treiglych di, cyfyd yr irdwf drud
A thalgryf goed a glesni o bob rhyw;
Lle troellych di, sibrydir ynni dwys,
Addawol su rhyw gynaeafau claer,
Pan draidd dy suddau llaith i wely'r gwys
Gan ddistyll hyfryd rin i'r erwau taer.
Rhialtwch fel hen win sydd dan dy glawr
A llawen chwedl dydd yr esgor mawr.

Rhigolau dyfrllyd yn y lleiniau croes,
A throi'r siadŵff[16] o dan ganghennau'r palm;
Y wraig dan isel do yn gwlychu'r toes
A'r Moslem crwm yn mwmian gweddi a salm;
Dy fysedd di a dry yr olwyn hon
Yn araf, fwyn. Hebot nid oes yn bod
Ond crastir coch yn lledu ton ar don
O dywod, lle ni wna tymhorau'r rhod
Eu brod[17] a'u pali,[18] ond galarwisg ddwl,
Yn wrymoedd unlliw maith fel hunllef brud.[19]
Hebot ni lama llygaid Serch, a phŵl
Yw'r sêr sy'n gwylio goruwch llwybrau hud,
Ffrwythlonwr ir! Plennaist wynfydau'r blin,
Hesperides[20] yng nghroth yr anial crin.

AR ÔL Y NEITHIOR NERFUS

(Math fab Mathonwy[21] : Tess of the d'Urbervilles[22])

Ar ôl y neithior nerfus
A'r teligramau lu
Daw unigedd hir-ddisgwyliedig
Y noson gu.

Ond tyr ar y cyfnod hudol
Hen gwestiwn un
A fo'n greulon eiddigeddus
Am gnawd ei fun:

Cwestiwn y Phariseaid,[23]
Cwestiwn y *bourgeoisie,*[24]
Llong-ddrylliad yr holl obeithion:
A wyt forwyn di?

QUO VADIS?

Pan ddelo'r erlid yn ei ffyrnig wae,
Fel helwyr yn sbarduno'r meirch yn hy,
A'r cŵn ar drywydd siŵr, fe rydd y prae
Bopeth am gadw'r einioes bêr pan ffy.
Minnau mewn helfa gaeth wyf wael fy ngwedd;
Nid oes a'm cymell onid fflangell braw
A'm gyr yn wyllt i geisio amhosibl hedd,
A thrwst Nerôaidd[25] lu yn chwyddo o draw.
Pob rhyw gyfaddawd a phob dyfais rad
A gipiaf rhag fy nal. Ond heddiw'n syn
Daeth Un i gwrdd â mi ar lwybr brad,
A'i droed di-encil tua phen y bryn.
Oedodd fy ngham. "Quo vadis, Domine?"[26]
"I'r Groes i farw eto yn dy le."

SONED I GENNAD

(Y Parchedig R. Emrys Davies)

Gwir yw y gair, bod galw am ddoniau siwgr,
Bod rhai a gâr bregethau sacarin
Sy'n traethu gweniaith i genhedlaeth lwgr
A moli godidowgrwydd prennau crin.
A rhaid cyfaddef, pan fwyf yn y falen,[27]
Hoffaf y siwgr. Eto yn eithaf mêr
Fy esgyrn, O am y cryf, pureiddiol halen,
Gwaeddaf, O am ryw neges dan y sêr!

Cyflawnaist ti a fynnwn. Yno yn lledu
D'ysgwyddau'n hy, rhoist inni ysgytiad iach
O weld hen gredo'r Ffydd yn cael ei chredu
A Duw'n dinoethi ein casinebau bach.
Gwnaethost yn dda i gicio yn y tresi
A'n tynnu o'n ffordd at gadarn gariad Iesu.

O'TH FLAEN A CHER DY FRON

O'th flaen a cher Dy fron
Yr ŷm yn dod, O Dduw!
Diolch fod cynifer yn y cwrdd
A'n bod ar dir y byw.

Diolch nad Gorsedd Barn
Ond Gorsedd Gras yw hon;
Gadewaist ni yn hyn o fyd
A'n cadw'n iach o'r bron.

Am gael bod yma 'nghyd
Ein mawl i Ti a delir,
A'i bod hi arnom a chyda ni
Yn gystal ag y'i gwelir.

O maddau i ni, ein Tad,
Ein bod yn byw mor bell
Oddi wrthyt Ti. Ac fel Dy blant
Gad inni fyw yn well.

Wrth gofio'r Sul a fu,
Diolchwn am y wledd;
Ein brawd Dy was o Sul i Sul
Sy'n cynnig gair Dy hedd.

O cofia'r eglwys fach
Sydd yn y fan a'r lle;
Yn fugail ac yn braidd, dwg Di
Ni'n agos iawn i'r ne'.

Dy ofal tyner Di
A'n cadwodd ni rhag heintiau,
Cyflwynwn iti, yr un pryd,
Y rhai sy'n fyr o'n breintiau.

O damo damo dam!
A gawn ni regi a chrïo
A dawnsio a chwerthin yn Dy ŵydd?
Neu dysg i ni weddïo!

I PINDAROS[28] ROEGWR

("Meddiannwyd Mynydd Olympos gan yr Almaenwyr",
Ebrill 1941)

Eryr ac aer holl ffurfafennau'r ffydd,
Am ennyd disgyn uwch d'Olympos[29] prudd;
Ni weli Zews[30] na'i bantheon[31] yno mwy –
Odin[32] a Thor[33] yw meistr-dduwiau'r dydd.

Wyt brudd? Ond rhai o fawrion Groeg a glyw
heb wylo am ddisodli teml a duw;
Ni hidia Socrates[34] na Phlaton[35] ddim,
Yntau Ewripides,[36] amheuwr yw.

Etifedd Ynysoedd y Dedwydd, dwed,
O gôl d'Elysion,[37] fardd y gywir gred,
Onid anwylaist fryn y duwiau llon,
Ei gopa aur a'i goron fioled?[38]

Odin a Thor sy'n lladd y sawl a'u câr,
Ac nid addolir arall. Pindar, pâr
O'r *Gotterdämmerung*[39] wawr, a dwg yn ôl
Apolo[40] a'i delyn aur a'i gwmni gwâr!

Heb dduwiau yr ŷm, heb fabol ofn eu llid.
Ebr un, *La Nature est mon seul guide.*[41]
Ar Sinai, Olympos, a Chalfaria[42] ei hun
Ni ddaw, ar ôl machlud haul, ond gwannaidd wrid.

AVE MARIA

A welaist ti ar gornel stryd
Un syffilitig er ei grud
Yn gwerthu papurau ger y Cadena?[43]
Ave Maria gratia plena![44]

Nid Ysbryd a genhedlodd hwn,
Nid morwyn oedd ei fam, mi wn.
Non virgo erat, non immaculata.[45]
Ave Maria gratia plena!

Ni thywynnodd gwawl o ganol nef,
Ni chanodd côr pan aned ef.
Brwnt ei gadachau, prin ei fara.
Ave Maria gratia plena!

Edrych ar bicell gref ei boen,
A gwêl afiachus grach ei groen.
A heuodd arall, hwn a feda.
Ave Maria gratia plena!

Pan welych ysig ofn ei bryd
A'i hercian tua chornel stryd
Ar boblog Via Dolorosa,[46]
Miserere, O Sancta Maria![47]

A WYDDOST TI?

A wyddost ti pa gyffwrdd yw
Dy gyffwrdd di a mi?
Rwyf innau fel y môr pan glyw
Y gwynt yn cyffro ei li;
Nis heria byth, ni fedr chwaith,
Ond ildia i'w gynhyrfus waith,
Yn caru ac ofni'r gwynfyd maith
Wedi yr uno hy.

Dychryn a hoen sy'n gymysg im
Yng nghynnwrf pêr dy wŷs,
Gwn nad yw byw na marw'n ddim
Yn sŵn d'angerddol frys.
Ac nid esmwythach sang fy nhraed
O weld mai'r un hen storm a gaed,
Gyrr gnawd at gnawd, a gwaed at waed,
Yr hen dragwyddol flys.

Y CWRDD DIOLCHGARWCH

Mor dwp yw'r ddaear dan ein traed!
Y globen sorth,
difater yw yng nghynyrfiadau dynion bloesg,
newtral fel haul a glaw Duw.
Nis cyffry drycinoedd ein peiriannau,
nosau'r cymylau awyrennog,
ffurfafennau'n glawio gwaed.
Mwy iddi hi
yw troediad buwch, cwymp deilen,
a châr ffolinebau cwningod
a hurtwch trwyniadau'r moch.

A dyma ni'n canmol Duw am y bronnau dihysbydd,
am esgor eto o'r bru glaswelltog,
a dyfod, yn niatal sagrafen y creu,
ein bwyd, ein bara beunyddiol.
Y clod a'r mawl! Diduedd yw ein Duw
a daeth i'r ddwyblaid ddigon –
er trengi o filoedd rhyngddynt,
dienw dorf yn India a Groeg a Belg.

Cofiaf fy nghamgymeriad gyda hyn,
a'n dallineb ni oll, O frodyr a chwiorydd.
Ein mawl fyddo i Moloch,[48]
a'n defod frwd i'r Diafol:
canys yn ein dyddiau ni, fel y dywedir wrthym,
o'u nerthol lwynau hwy y daeth y dorth.
FOOD IS A MUNITION OF WAR.

FFYNNON FAIR, PENRHYS[49]

(Cwm Rhondda)

Mae'r cwm yn brudd a'i ffydd ar ffo,
Ond erys hen lawenydd:
Adlais addolwyr llawer bro,
"Cawson' ynfydion fedydd."

Mae'r cwm yn ddu, nis câr y lloer,
Ond yma'n gyfrin pery
Paderau'n ddwys uwch pydredd oer,
Hud tirion uwch hwteri.

Mae'r cwm yn frwnt, nis câr y wawr,
Ond glân yw'r sisial dedwydd
Lle canai'r saint, ar lawen awr,
Emynau rhwng y manwydd.

Mae'r cwm yn galw yn salw ei sain,
Ond erys islais addfwyn
Lle dyrchid gynt folawdau cain
Yn firi gwiw i'r Forwyn.

CÂN Y CLODDIWR

(Gogledd y Swdan)

Yng nghroth y ddaear gynnes
Lle cwsg beddrodau hen,
Gwelais sgerbydau gwynion
A'r gliniau'n grwm tan ên.

Lledrithiol ymgnawdolent
Wrth imi syllu'n graff;
Pa eneth lân lygeitddu?
Pa lanc pengyrliog praff?

A daeth y gwir i'm dychryn,
Ffodd apologia[50]'r doeth:
Gwêl ddiwedd hoen a hiraeth
A diwedd medd a moeth.

Dristed y disgyn llen ar
Hardd fabinogi byw,
Tybiwyd y pery'r pasiant
Ar lyfn lwyfannau Duw.

ETIFEDDEG

Anochel, etifeddol nam
A yrrodd gysgod ar fy ngham,
Ond ni ofynnais i paham,
Yn chwerw, sur;
Ac ni wnaf edliw iti, Ffawd,
Y tro a roes fy nhad i'm rhawd,
Os caf, gyda'i amherffaith gnawd,
Ei galon ddur.

NA FYDD YN SWIL, FY NGHARIAD

Na fydd yn swil, fy nghariad,
I droedio'r lloriau llathr,
Cawn ninnau gilio'n fuan
Ac arall ddau a'u sathr.

Ac na fydd or-drugarog
Wrth ddinistr maen a choed;
mieri lle bu mawredd[51]
Yw hanes tai erioed.

Amser â'i olwyn dawel
A ddwg y deml yn sarn,
Neu ddyn fel daimon distryw
A'i rhwyga'n ddarn a darn.

Ond cadwa dy ddagrau gloywon
At alaeth[52] cig a gwaed.
Y babell hon yw'r freuaf:
Dawnsiwch, fyrhoedlog draed!

GADAEL CWM RHONDDA

I

Llifol yw'r rhychau uwch Sant Pedr[53]
Fel y gwythiennau glas ar gledr,
A Moel Cadwgan[54] gawres lem
Sy'n gwau gwarineb yn ei threm.

Clywaf sibrydion yn yr awel,
Atgyfodedig leisiau tawel;
Mi gofiaf droeon pell a fu
A rhai a gerais yma'n gu.

Cofiaf fy nhad sy'n gorwedd draw,
Llonydd ei gnotiog, gadarn law.
Mae popeth heno'n wych ei wedd
A chnul ymadael yn yr hedd.

II

Y Dydd Diwethaf, O fy mun,
Sy'n euro ein byw a'i liwus lun.
Caraf yn fwy dy lygaid claer
Yng nghysgod colli eu dyfnder taer.

Dy ffansi ffri, gwefusau a chwardd,
Trysorau i wylltio calon bardd,
Rhaid canu'n iach â'u swynol sawr,
Machlud yw hanes pob rhyw wawr.

PARASITIAID

Mae pryfyn yn nhywyll leoedd fy mol.
Ond erbyn meddwl
pryfyn wyf innau ymysg miliynau
yn anferth fol y byd.
Pa waeth?
Pryfyn yw yntau'r byd
ym mol mawr Duw.
Trwy ddyryswaith geometrig
y boliau cyd-ganolog
parasitiaid ydym oll
ar Dduw.
Canys ynddo Ef yr ydym ni yn byw,
yn symud,
ac yn bod.

GWŶR BECA

(1843)

Pan ail-balmentir ffordd y werin gaeth,
A dwyn i ben ei thaith, ar lawen awr,
Yr ymgyrch drwstan honno a wnaeth
Dai'r Cantwr[55] gynt a Shoni Sguborfawr,[56]
Odid na throedia myrdd myrddiynau blin
Yn hoywgan hy. Nyni, pa fodd na chanom
Am ryddid amgen na'r sloganau crin?
Er cloffi hir, cawn eto ein traed o danom.
Ni ddaw a fynno gau'r dragwyddol heol,
Bydd si'r mileniwm yn swyno'r hil.
Cleddir pob awdurdodaeth. Ni ddaw rheol
Na deddf na barn i boeni'r awen chwil.

Ni chodir toll gan un awdurdod garw
Ond – megis cynt – wrth gyfyng fwlch y marw.

CASSANDRA MEWN CARIAD[57]

Ni'm hudir mwy, er blino, i freichiau cwsg.
Mewn ofn amdanat, lawer noson sorth,
Ar ddwys ddi-hun, tremiaf ar feysydd pell:
Gwyliaf fel Dafydd Frenin[58] ar y porth.

A fu yn ddychryn it, dychrynodd fi,
Taranodd trwst dy frwydrau ar fy nghlyw.
Gwelais syth fflamau'r Armagedon[59] fawr,
A'r gwanwyn ir, dan sawdl o dân, yn wyw.

Neithiwr, yn glir, anadferadwy rwyg,
Holltwyd fy nghalon gan y tristwch mawr:
Ffarweliaist â mi gyda chusan llosg,
Trwy fwg a gwaed gwelais dy olaf awr.

Pwy a rydd gyfrif imi am dy glwy?
Am gorff rhidylliog, un goes, darnau o ben,
A'th wreiddyn serch yn plygu'n waedlyd swp...
Dduw Dad! Pa fodd na chwerddi yn dy nen?

CERDDI CADWGAN

(Gwasg Cadwgan, 1953)

Casgliad o gerddi aelodau Cylch Cadwgan, a oedd yn cwrdd yng nghartref yr awdur, sydd yn y gyfrol hon. Mae'r gyfrol yn cynnwys cerddi gan Pennar Davies, D. R Griffiths (brawd J.G.G.), Gareth Alban Davies, Rhydwen Williams a J. Gwyn Griffiths. Parhaodd y gwmnïaeth er bod yr awduron erbyn cyhoeddi'r gyfrol wedi gadael y Rhondda. Erbyn hyn roedd J.G.G. yn ddarlithydd yng Ngholeg y Brifysgol, Abertawe, ar ôl bod yn athro am gyfnod yn y Bala.

Gydag Euros Bowen yn olygydd a J. Gwyn Griffiths a Pennar Davies yn cynorthwyo, cyhoeddwyd cylchgrawn *Y Fflam* rhwng 1946 ac 1952. (Nid cyd-ddigwyddiad llwyr efallai yw bod cerddi J.G.G. yn defnyddio 'fflam' yn ddelwedd rhyw ddwsin o weithiau.) Rhoddai'r cylchgrawn lwyfan i'r cylch, y gwrthodwyd eu gwaith mewn rhai cylchgronau eraill, o dan gyhuddiad o ddiffyg chwaeth. Roedd eu cynnyrch ar un wedd yn ymosodiad ar y safonau llenyddol gor-barchus ac unffurf a fabwysiadwyd gan feirniaid llenyddol hanner cynta'r ugeinfed ganrif. Gwrthodwyd ganddynt ddulliau canu melys-delynegol poblogaidd, a'r modd yr hoffai beirdd a beirniaid llenyddol y cyfnod ymgodi uwch gwleidyddiaeth y dydd. Roedd y cylch yn awchus i gwmpasu holl brofiadau bywyd, ac i dwrio i lenyddiaethau a chrefyddau'r byd am ysbrydoliaeth. Ar y llaw arall, roedd gan aelodau'r cylch ddaliadau gwleidyddol, cenedlaethol, crefyddol a heddychol cadarn.

Roedd J.G.G. yn byw gyda'i deulu mewn fflat yn 1 Eaton Crescent, yn yr Uplands. Yn ei astudfa ar y llawr cyntaf byddai cangen

Abertawe o'r Blaid yn cwrdd yn rheolaidd. Ymysg yr ymwelwyr â'r cartref roedd Waldo Williams, a threfnodd J.G.G. fod ei gerddi'n cael eu casglu. Arferai'r teulu dreulio gwyliau yn y Coleg Coffa, Aberhonddu, gan gyfnewid cartref â theulu Pennar Davies. Yn yr un stryd roedd John Griffiths y dramodydd yn byw, a heb fod ymhell roedd cartref Aneirin Talfan Davies.

Byddai J.G.G. yn mynychu Capel Gomer, capel y Bedyddwyr yng nghanol Abertawe.

Yn nechrau'r gyfrol mae aelodau'r cylch yn ymateb i wahanol gwestiynau. Ar bwnc propaganda mewn llenyddiaeth, medd J. Gwyn Griffiths fod y syniad o bropaganda mewn llenyddiaeth yn hen iawn, a bod beirdd Groeg a Rhufain, yr Eidal a Chymru wedi "lledaenu'n frwd ryw syniadau arbennig am grefydd a chymdeithas, neu am wleidyddiaeth ac ystyr bywyd". Sylwa fod R. Williams Parry yn "bropagandydd dihafal ei hunan" er ei fod yn gwrthwynebu propaganda mewn llenyddiaeth. Ar ôl dau ryfel byd, gwêl J. Gwyn Griffiths fod syniadau am 'farddoniaeth bur' a 'barddoniaeth absolwt' yn yfflon.

Cyfeiria at Aristoteles, a gredai mai gwaith barddoniaeth yw "efelychu dynion yn gweithredu", yn hytrach na darlunio natur, ond wrth dderbyn rhyfeddod natur a'r cread, mae J. Gwyn Griffiths hefyd yn llym ei farn am y modd y mae rhamantwyr yn rhoi pwyslais gormodol ar natur.

Yn y gyfrol hon ceir cerddi cenedlaethol yn ychwanegol at rai'n ymwneud â'r rhyfel, crefydd, yr Hen Fyd a phrofiadau serch.

MACHYNLLETH, 1949[60]

("Mae ysbryd rhyddid eto'n fyw": Gwynfor Evans)

Mae eto'n fyw, drwy grafanc oer ganrifoedd,
Ddyhead hil Glyn Dŵr. Nis trechodd gwarth
Na gwaed na gorthrwm na'r crochanau cig
Na'r codau trymion draw. Ryfeddol rawd,
Mae eto'n fyw.

Mae eto'n fyw – pwy feiddia mwy ei ladd? –
Y grym yn enaid gwerin y mynyddoedd.
Ei swcwr oedd y gwynt a'r dyfal sêr,
Carwyr copaon. Chwydodd y gwenwyn cudd,
Mae eto'n fyw.

Mae eto'n fyw, fel disglair her i fyd
A gollodd yn rhyfeloedd Marx a Mamon[61]
Holl hoenau Groeg a grasau Galilea,
Y cleddyf gwaredigol, pur ei waniad,
Mae eto'n fyw.

Mae eto'n fyw, drwy wyrth ein Harglwydd Crist,
Gymhares deg ei Aramaeg[62] ei hun,
Glasbren na chrinodd y gaeafau rheibus,
Euriaith ein Mabinogi a'n Gododdin,[63]
Mae eto'n fyw.

AR ÔL CYD-DDARLLEN ETO Y CHWECHED ILIAD[64]

Maddeuwch im y gramadegol nwyd
   A gladdodd rin y gerdd berorus brudd
Dan bentwr salw o fân-bwyntiau llwyd –
   Am y Derbyniol[65] yn golygu budd,
Berf-enwau Epexegetaidd,[66] a holl griw
   Amserau'r ferf – heb synnu wrth fynd heibio
At Glawcon[67] a Diomed[68] a'u cytgord gwiw
   Pan oedd tafodau rhyfel am eu lleibio;
Heb chwerthin gyda Hector[69] ar ofnus ble
   Ei blentyn bach pan welodd helm ei dad;
Heb sbario deigryn i Andromache[70]
   A'r ffarwel olaf hir cyn loes y gad.
O feirdd! Bradychais reddf pob enaid pur,
At delyn Homer[71] deuthum â morthwyl dur.

AR Y FFORDD, YN Y WLAD

Gariadon gofalus,
    yr oeddech am afael ar fywyd
    ond nid bywyd i gyd;
    taflasoch Ddyfais i wyneb natur,
    buoch yn drech na'r Cwrdd Eglwys,
yn drefnus-arialus.

Wrthodwyr cariadus,
    mynasoch hanner y blas
    o'r blys hanfodol;
    ymdaflu i drobwll bywyd
    ond nid heb raff i ddychwelyd,
yn ochelgar-afradus.

Gofleidwyr rhwyfus,
    o'ch cwmpas yn ddiau clywsoch
    delori a chwynfan a hoen
    y nwydus greadigaeth
    yn ddi-yfory ei hafradlonedd.
    'Roeddech chwi efallai yn ddwysach
    ac eto'n gyfrwysach
    gyda'ch teclyn atalgar
yn ddiogel-nwyfus.

I'R CRWT A GANAI'R PIANO

(yng ngwersyll y ffoaduriaid o Latfia a Lithwania ac Estonia yn Lübeck,[72] yr Almaen, yn ôl tystiolaeth y Parchedig Walter Bottom)

Mae'n uffern ar y ddaear yr ochor hon i'r bedd
Wrth weld yr Arglwydd Satan yn bennaf yn y wledd.
Yma, mewn barics hen, lle'r heidiwyd torf
i'r gorlan lwyd, ddiobaith, cenaist ti i deyrnas Nef.
O cân, Feseia bychan yr Ewrop newydd!

Ceir ugain teulu'n gecrus mewn un neuadd,
diffeithwch durfing[73] heb Ganan[74] dros ei orwel.
Tywyll eu llygaid gan hiraeth am henwlad;
mae'r trysor yno,[75] ni bydd arall mwy.
Ond cenaist ti.
O cân, aderyn unadeiniog gwanwyn newydd!

Crochan y cenhedloedd chwâl yw hwn; lle hawdd
i gablu a chasáu, cyn dysgu caru dim.
Gorchfygaist ti'r amgylchfyd,
trewaist y piano a oedd fud
â chanig flêr, gyfewin.[76]
Gwyn fyd na chlywid hi
tros Ewrop ddu, ei Dwyrain a'i Gorllewin.
O cân, ddysgwr bach dygn yr ysgol newydd!

Yn awr gyfyngaf dy Gaersalem sarn
ti brynaist faes, yn ernes am a fydd,[77]
heb hidio'r sgrechain croch a'r rhegi hir
na'r muriau gwag a'r lloriau llwm.
Mynnaist ail-greu toredig ddarn o Handel,[78]
mynych dy ddisgord a'th ailgynnig
a'th gywiro dyfal; ond ymlaen â hi...
O cân, watwarwr bach y bywyd adfeiliedig,
daw dwndwr y dadeni o'th biano di.

BETHLEHEM 1946

(Beth Lechem: Tŷ'r Bara)

Maith fel Caer Gwydion[79] ewynnog ydyw'r gwt,
Newynog, taer, yn ddwylo i gyd, ac ar y clwt.
A yw Tywysog Bychan Bethlehem yn ei gynefin,
Bara'r Bywyd – dyna'r un – a phorthwr y pum mil gwerin?
Gan hwn y mae'r bara a bery byth; ond i giwed angall
Ym myd ei Gnawd, er Duw, er dyn, O estyn y bara arall!

TAMAR[80]

(yn newyn Ewrop)

Y dwylo a gerais yn y Gannîm[81] gwâr,
    Gafaelwiw gloeau, nid oes mwy a'u câr
Ond marsiandïwyr chwant. Tu hwnt i'r wên
    Pan ildio'r cnawd, ymguddia storm ei bâr.[82]

Yn Effraim[83] rhwng y coed mae nosau nwyd
    Yn agor gwregys ei gwyryfdod llwyd,
Y bronglwm gŵyl a'r wisg nas cododd gŵr,
    A chaer ei gliniau: mae gan y milwyr fwyd.

Y DELYN AUR

(a gaed wrth esgyrn telynores mewn bedd yn Ur y Caldeaid)[84]

Teyrnas yr angau mud yw'r esgyrn gwyn
A thithau'n un o'r pump-a-thrigain hyn,
Gosgorddion ei fynediad Ef drwy'r glyn.
Bu lân dy bryd. Cywilyddiai wrid y tarw.
Anaeddfed oedd dy wedd i'r beddrod syn.

Defosiwn dewr fu'r gwaith: ei hebrwng Ef,
Abargi Fawr,[85] ar reiol[86] daith i dref
Â thincial sionc dy delyn aur. Dy lef
Oedd herald claer yn brudio[87] newydd hoen.
Ar dranc dy lendid dringodd tua'i nef.

Yfaist y gwenwyn. Yna a'r delyn hon
Yn pwyso'n ddisglair dyner ar dy fron,
Pan befriai'r gragen wen a glas y don
A'r tarw euraid, llifodd afon fwyn
Dy gân dros raeadr lefn y tannau llon.

Un pennill peraidd, a daeth diwedd clau
Ar sŵn y delyn aur. Ac oni thau[88]
Yn ymyl Brenin Braw bob canig frau?
A, delyn fud! A, ferch sy'n esgyrn gwyn!
Peidiodd y gerdd. Mae dorau serch ar gau.

MYFYRDOD

(ar linell gan Gabriele d'Annunzio)[89]

O gryman y lloer sydd yn cilio,
cyllellaist y rhamant a fu, a fu,
ymdonnodd cynhaeaf breuddwydion droeon odanat,
dylifa drwy dyllau'r cof dan bont ar li
a derbyn yr ergyd. Ymdaena ymdonna
gollwng y gwallt o'th law, y pen o'th fron,
y sbonc o'th sbri,
tâl bob toll fel na bo gwlith ar gedor
a gweinydda'r ddeddf. Pan ddeffry hwn
rhidyllog yw rhediad y meddwl
a llygoden fawr yw'r wawr wyllt
y llofrudd llwyd, nadir[90] y wledd.
Ond cyfyd y meddwl cyfrifol sad
a'r ymwthio ymosodol
a Hamilcar Barca[91] yn dechrau ymddiddori
yn Sbaen dros y don.
O falce di luna calante,[92]
disgyn cyn delo'r nos ar daen ar dranc
a maenad[93] y mynyddoedd.
Mae'r blodau crin ar flaen yr ewyn glwth.

O gryman y lloer gynaeafol!
Medaist fy enaid â hyder y llaw
sy'n tramwyo meysydd y neithdar lle bydd gwên
gyniweiriol
yn arlwyo gwae, yn cusanu gwawd.
Disgyn i'r nos addawedig
y llyncwr, y lleiddiad, sgubor y gwenith gwyw.

RHO GRAWC

Rho grawc yng ngwely Cedron[94]
Di froga'r fawlyd fro;
Rho grawc er mwyn yr hwn a'th gâr –
Mae adar cerdd ar ffo.

Rho fref ar fryn Olewydd,
Di ddafad sorth ddi-droi;
Rho fref er mwyn y Bugail Da –
Ei braidd sydd ar fin ffoi.
Rho naid, di fwyn lysywen,
Dioddefydd hurt y dŵr;
Mae'r milwyr yma; dyro naid
O gariad at y Gŵr.

Rho lef, di ddioer[95] Gristion,
Yn sglein bidogau'r byd;
Rho lef er mwyn y Crist, rhag ofn
I'r gweision fod yn fud.

TAUROBOLIUM

(sef Bedd Gwaed y Tarw; bu capel i'r Duw Mithras[96] yng Nghaerlleon-ar-Wysg yn y gaer Rufeinig)

Yma ym mhen draw'r byd, araf yw'r hedd
Ac nid yw'r gwaed yn sychu ar y cledd.
Styfnig yw stwrian y Silwriaid[97] ffôl.
Rhaid tario'n hir.[98] Efallai ni bydd ffordd yn ôl.
Mithras, y Golau Pur,[99]
Tyrd yma i gell fy nghur,
A rhoi imi wawl yr anorchfygol haul.

Yna, pan beidio gwaeau'r gad, lle ni bydd merch,[100]
Lle ni thraidd llef canwriad na'i reg erch,
Caf brofi blas diferion ir y gwaed[101]
Yn twymo'r cnawd, yn llifo at fy nhraed.
Mithras fy Nuw,
Ti biau'r tarw a'i ryw,
O golch fi'n burlan yn ei werthfawr waed![102]

Hwn ydyw'r bedydd, hwn yw trothwy'r ffydd
A'm dwg i wynfyd gwiw y perffaith ddydd.
Mithras, na wrthod fi! Clir ar fy nhâl[103]
Fo nodau'r ffydd, a theilwng fydd y tâl
Pan gaf, o dan dy sêl,
Holl freiniau'r wledd a'r cymun cêl.
Am rin y gwaed a redodd fydd fy nghân.[104]

HEDDYCHWR

(I gofio George M. Ll. Davies)[105]

Er nam y bru annhymig – a luniodd
 Erch lwynau llu'r goedwig,
Erys dawn i oroesi dig,
 Bod llariaidd mewn byd lloerig.

TRAWSFYNYDD[106]

Dim ond pum mil o erwau[107]
 Lle mae defaid yn byw
A gwŷr Cymraeg eu henwau,
 Claf o dwrw eu clyw.

Ond rhaid amddiffyn rhyddid,
 Medd meistri'r Swyddfa Ladd.
Ymaith â phob hen lendid,
 Maldod gormod a gad.

Daeth cymod wedi cad
 Amaethon[108] a Gofannon,[109]
Ond yma wedi'r brad
 Tery anrhaith y tirion.

FFROENAU'R DDRAIG

(Gwasg Aberystwyth, 1961)

Cynnyrch y blynyddoedd ers symud i Abertawe sydd yn y gyfrol hon yn bennaf, er bod yma hefyd gerddi sy'n ymateb i'r Ail Ryfel Byd.

Yn y cyfnod hwn roedd J.G.G. wedi bod yn weithgar gyda nifer o fudiadau Cymraeg, yn lleol ac yn genedlaethol. Roedd yn perthyn i'r grŵp o bobl a lwyddodd i berswadio Cyngor Abertawe i sefydlu ysgol Gymraeg yn 1949. Daeth hon mewn pryd i'w fab, Robat, ei mynychu, er y bu'n rhaid iddo ef dreulio tymor yn ysgol Saesneg Brynmill. Rhan o stori llwyddiant addysg Gymraeg yn Abertawe yw bod yr ysgol Saesneg honno wedi dod yn safle i ysgol Gymraeg ganol yr 1970au.

Roedd J.G.G. yn un o arloeswyr Undeb Cenedlaethol Athrawon Cymru, a daeth yn llywydd ar y mudiad hwnnw. Yr oedd erbyn hyn wedi ymdaflu i waith gwleidyddol, gan sefyll yn ymgeisydd seneddol dros Blaid Cymru yn etholaeth Gŵyr ac yn ymgeisydd mewn etholiadau lleol yn Abertawe. Byddai'n un o gylch ymgynghori Gwynfor Evans, a gwasanaethodd ar Bwyllgor Gwaith y Blaid, yn ogystal â golygu ei chyfnodolion.

Byddai cyfarfodydd y Blaid yn Abertawe yn cael eu cynnal yn ei gartref yn Eaton Crescent, mewn cyfnod arloesol i'r Blaid. Byddai Radio Cymru – darllediadau anghyfreithiol y Blaid – weithiau'n cael eu darlledu yno. Dyma pryd aeth Chris Rees, arloeswr y system Wlpan o ddysgu Cymraeg i oedolion, i'r carchar am wrthod ymrestru yn y fyddin. Roedd y Blaid yn ymladd mewn mannau yn y Gymru drefol a diwydiannol am y tro cyntaf, ac yn cael canlyniadau calonogol.

Ar yr aelwyd yno, ac yn 3 Long Oaks Avenue, Sgeti, rhwng yr Uplands a chanol Sgeti, lle y symudodd y teulu yn 1964, byddai cylch o Gymry Cymraeg Abertawe'n cwrdd. Deuent ar nosweithiau Sul i gael cwmnïaeth ac i drafod. O bryd i'w gilydd byddai'r drafodaeth ar ffurf lenyddol, gyda Roy Lewis ymysg eraill yn trafod eu gwaith a'u syniadau.

Roedd yn gyfnod diddorol hefyd yn hanes Abertawe: roedd rhannau o'r dref yn dal yn Gymraeg eu hiaith, gan gynnwys rhannau o Lansamlet, Tre-boeth a Threforys, a byddai J.G.G. ymysg ymgeiswyr lleol y Blaid a safai yn y mannau hynny.

Roedd ei ddiddordebau academaidd yn parhau. Yr oedd erbyn hyn wedi bod ers rhyw 15 mlynedd yn ddarlithydd yn adran Glasuron Prifysgol Cymru Abertawe ac yna'n ddarlithydd uwch. Roedd yn ymdaflu yno i'w ymchwil ar lenyddiaeth a chrefydd Groeg a Rhufain a'r Hen Aifft, ac yn cyflwyno cyrsiau mewn Eifftoleg yn yr adran honno.

Mae nifer o'r cerddi'n ymwneud â chyflwr Cymru, a rhai'n nodi digwyddiadau penodol ymgyrchwr o genedlaetholwr. Mae rhai cerddi'n perthyn i gyfnod a dreuliodd yn gwneud gwaith archeolegol yn yr Aifft. Mae eraill yn ymwneud â ffigurau amlwg y cyfnod, aelodau o Gylch Cadwgan, a chylch cydnabod yr awdur.

Ac yntau bellach yn hyddysg yn yr Almaeneg, ceir gan J.G.G. yma gyfieithiadau o waith rhai o feirdd amlycaf yr Almaen. Yn gefndir i nifer o'r cerddi a'r cyfieithiadau, mae J.G.G. yn derbyn serch a phleserau'r cnawd yn rhan o undod annatod corff ac ysbryd.

BLODAU'R BEDD

Cadwyn o Ymsonau a Cherddi

I

Ar Ŵyl y Pasg yng Nghapel-y-ffin[110]
Ces unwaith brofiad chwerw ei rin.

Gwelais yr ŵyn mewn llawer cae
Yn prancio fel plantos yn y bae.

Atseiniai'r bryniau ar bob tu
Gan chwerthin cras babanod lu,

Ond gyda'r nos bu wylo hir
Pan ruthrai'r ddrycin dros y tir,

Ofnus gymylau'n wyllt ar ffo,
A'r lloer a'i llygad yn nhwll y clo,

Popeth ond bryn a thŷ ar chwâl,
Y glaw yn chwil, y coed yn sâl,

Hwythau yr ŵyn, mewn newydd fyd,
Diddyfnwyd hwy o'r fynwes glyd.

Ond Oen y Pasg yr adeg hon,
Pawennodd heibio'r garreg gron.

'Roedd grym ei atgyfodiad clir
Fel pe bai'n cyffro croth y tir.

Mi welais fedd, oer unig fedd,
Ar lechwedd lwyd. 'Roedd creulon hedd

Y meirwon mud o gylch y fan
Fel pe gwrthodai unrhyw ran

Ym mrwydyr hardd y storm a'r gwynt;
Ac yno, ar ffasiynol hynt,

Gorweddai tusw o flodau hyf
Yn gwenu ar fron yr angau cryf.

Mewn breuddwyd, gwelais yn y gro
Forwyn a gerais er cyn co'.

Ei henw ydoedd Cymru. A daeth
I'm meddwl trist fel sydyn saeth

Y chwiw: Er taered yw ein cledd,
Rhoi blodau yr ydym ar ei bedd.

II

Mae eisiau gofyn cwestiwn dyfnach, frodyr.
Pa beth yw Cymru? A yw hi'n bod?
Pa beth yw'r swnian am ei thir a'i hiaith?
Fe ŵyr y proletariat beth yw beth.
Yng ngwaelod bod mae hanfod. Yn y gwraidd
Nid oes yn cyfrif ond y ffeithiau mawr
Bywydol... brwydyr dyn am reidiau byw,
Am waith, am fwyd, am dŷ. O'r safbwynt hwn
Nid ydyw tir ond tir, a phob diwylliant gwiw
Yn ddim ond addurn gwag. A Chymru rydd,
Nid yw ond slogan ffŵl, cans dwedodd Marx,
"Nid oes gan weithwyr wlad."
Mae'r byd yn gweiddi heddiw am y gwir.
Byddwn gan hynny yn realwyr sad.
Rhamantiaeth ffôl yw sôn am wlad ac iaith
Yn lle am fara a chaws.
Ys gwir mai "yma mae beddrodau'n tadau";

Pwysicach yw mai "yma mae ein plant yn byw".
Na thafler am eu gyddfau hwy faich trwm
Hen draddodiadau meirwon. Y byd mawr
Seisnig yw eu hetifeddiaeth hwy.

III

Iâr fach goch yw fy iâr fach i,
Mae pawb yn ffoli ar ei phlu.
Ond clywaf lais aderyn bach
Sy'n cofio rhywbeth am ei ach.

Os yw Cadwgan[111] yn ei fedd
  O dan y rhedyn melyn,
Mae'n gysur meddwl na cheir ef
  Yn troi i helpu'r gelyn.

Gogoniant Cymru nid yw eto
  Yn gorffyn ar y bwrdd.
Mae'r hen fenywod, yma a thraw,
  Yn dal i fynd i'r cwrdd.

Clorofform yw crefydd, ebe rhai,
  I'ch suo dan gyllell gudd;
Teledu a thafarn a ffwtbol pŵls
  Yw'r drindod newydd sydd.

Â plant y cymoedd, ddisglair dorf,
  I'r Cownti Sgŵl yn gytûn.
Meistrolant ieithoedd byd yn hawdd,
  Ar wahân i'w hiaith eu hun.

I fyny'r Mwsh! I fyny'r Moel!
  Peidiwch â beio'r rhain.
Mae llyfu rhwd cadwynau hen
  Yma'n gelfyddyd gain.

IV

Mae tinc rhyw wawdiaith brudd
Yn lliwio llais y crydd.
Onid oes sioncach lef
Gan rywun o'r hen dref?

John Tyn-Ddôl, John Tyn-Ddôl,
Pwy yw'r ferch sy' yn dy gôl?
Os rhof fi swllt i'r ffwtbol pŵl
Pwy ŵyr na chaf fi fil yn ôl?
Mae dylanwadau yn Nhreorci
Sy'n deilwng iawn o Faxim Gorci.
Yr hen ddiwylliant sydd yn fflop;
Wrth dorri gwynt, fel potel bop.
Cwmpodd yn gelen ar y llawr.
Myn uffern i, mae'n golled fawr
Fod plant y Rhondda heb un crap
Ar yr hen iaith. Ond mater o hap
A damwain yw holl fater iaith
Yn y pen draw. Gellir dweud mai gwaith
Pob iaith yw bod yn declyn hylaw
I feddwl dyn a'i deimlad. Arbraw
Sy'n newid gydag amgylchiadau,
Fel y gwelwn yn hen wlad fy nhadau.
Wrth gwrs mae medru'r ddwy yn gop.[112]
"I can speak the two spokes," medd Twm Tŷ Top.

V

Rhyfeddach gast na gast un-goes
Yw ambell ffraetheb ffôl a roes
Ein hanes inni. Dywed pa fodd
Y cawsom ni y ddirgel rodd...
Ninnau'r genedl ddiniweitiaf
Yn cael yr arwyddlun tanbeitiaf.
Pan weddai dafad in, neu foch,
Cawsom ffyrnictod y Ddraig Goch,

Anrheg eironaidd i wneud sbri
Am wendid llwfr ein Cymru ni.

Tro di dy olwg at y graig
Uwch ambell dyddyn gwyn
A gweli nad yw hi y ddraig
Mor ddof y dyddiau hyn.

Dywedi'r gwir. 'Rwy'n cofio gweled craig
Yn crogi uwch ysgythredd Rhandir Mwyn.
I fyny o ddyffryn Tywi y daethom ni,
O hen dre'r Ficer at yr ogofâu
Lle trigai Twm Siôn Cati,
I'r cae o dan y graig,
Ac yno'n y glaw
Daeth lleisiau heriol i blith y dyrfa lwyd.
Ffermwyr oedd wrthi.
Sonient am fygwth mawr a chadarn rym
Y gormes newydd.
Mae'r cynllun manwl wedi ei baratoi,
Un fforest fawr a lwnc yr ugain mil
Aceri. Ond swyddog o Sais, paid troi'n rhy gloi
I ddechrau arni. Gam bwyll, gw-boi!

Rhag ofn i rywbeth ddigwydd.
Fe welodd Moses 'slawer dydd
Y berth yn llosgi. Ewch chi mlân,
Fforestwyr hy. Pwy ŵyr na welir yma
Y perthi'n llosgi? Fe gyneuwn dân
Yma'r un modd, ond gydag un gwahaniaeth.
Ni bydd y perthi yma heb eu difa.

Na ato Duw
Im roddi trysor fy hynafiaid byth i ti.

Cyfrwys yw'r gormes hwn. Mae'n talu'n dda.
Mae'r wledd ar daen, a chyfyd mwg,
Ni syrth y sêr er storm eich gwg.
A'u duwiau dieithr, dawnswyr doe,
Sy'n ffroeni o'r ddaear sawr y sioe.
Mae'r gelyn, gyfaill, yn ein plith,
Diamwys yw ei wedd, di-rith,
Fel hwter yn chwythu ei drwyn ar sêr y bore,
Ni chywilyddia. Pa beth iddo ef
Yw ffridd a nant a fferm
A sydyn wawl ar greigiau'r ysgwydd
Neu olau'r oesau gŵyl mewn llygaid gwâr?
Gymdeithion mwyn, os archiad Sais
A fyn fod tewi o'r hen fugeilgerdd hon,
Mae'n biti garw.
A raid i'r henwlad farw?

Mae eisiau gwlân a chig, bid siŵr,
Ond cofiwch, cyn gwneud seans o stŵr,
Fod pethau pwysig ar y gweill
A than y gyllell.
Mae Lloegr yn torchi llewys at ornest gref
Dros Ryddid (fel arfer) yn erbyn gormes Teyrn.
Mawr eisiau coed fydd arni hi
I weini ar y gwan.
Beth yw ychydig ddefaid ac ambell aelwyd gu
A'r hawl i fyw yn rhydd
A simne'n mygu rhwng y brwyn
Lle byddo swyn arferion syml?
I warantu'r mawr rhaid aberthu'r mân,
Neu mi aiff y byd i gyd ar dân.

Pan fydd estron yn anrheithio'r tir
Rhaid mentro popeth er mwyn swcro'r gwir.
Disgwyl a herio grym, rhoi gewyn glân
I wrthwynebu'r arf a'r gynnau tân
Yw'r ffordd a fynnwn. Tawel ym mro Hedd Wyn
Fu dechrau'r daith. Rhaid sefyll mwy'n ddi-gryn.

VI

Arloesodd Erin[113] ffordd ein rhyddid oll.
Pa gerdd sydd heddiw'n dod o'i thannau hi?

Pan gilio'r ffordd, eto bydd wiw ei chân:
Er colli'r ffrwyth, erys y plisgyn glân.
Mae miwsig oes heroaidd ar fy min,
Cerddi'r catrodau a aeth drwy ddŵr a thân.

Mae beddau hefyd yn Iwerddon, frawd,
Ond edrych arnynt hwy a dry ein rhawd
I heulwen bywyd. Cofiwn leisiau dewr,
Pur felodïau'r pererinion tlawd.

Cofiwn y lloer yn codi ar wyllt oed
Yr arfog wŷr. Petrus oedd llam y droed
Ar ôl ymguddio'n hir. Ac wedi'r drin
Rhoed ieuanc gorff i orwedd dan y coed.

Cofiwn y dyrnau dreng, mor ddwfn y graith,
Y llusgo a'r llindagu er oesau maith,
Nes dyfod dydd gwrthryfel. Difachlud haul,
Rhyddid, digymar berl, sydd mwy yn ffaith.

VII

Onid oes yng Nghymru feddau fel y rhain?
Yn swil ger meini mawr a'r bydol ddrain,
Neu gof am wŷr a aeth i Gatraeth gynt?[114]
Yn Nyffryn Clwyd mae darn o groes sydd gain.[115]

Coffa gwiw fo i'r arwyr gynt,
Dros ryddid collasant eu gwaed.
Rhyddid a fynnwn ninnau eto yn ein dydd,
Ond colli gwaed ni fynnwn, onid ein gwaed ein hunain.

Gwersi'r gwaed a gollwyd gynt,
Pwy a ddilea eu tristwch dileferydd?

Mae nerth diorthrech yn y ffydd ddi-arf
A gobaith cadarn yn esiampl gŵr
A ddug i'w genedl ryddid.

Y Mahatma mwyn[116]
A rodiodd lwybyr hawddgar tua'r nod
A fynnwn ni. Pob caeth, pob ysig rai
Sy'n cofio'n dyner am a wnaeth.

Atgyfodedig Grist y ganrif ddreng,
Dysgawdwr dioddefaint, ef ei hunan
Yn gwahodd gwaeau yn y flaenaf rheng,
I'w erbyn milwriaethau llwyth a lleng:

Rhyfeddol oedd ei loes achubol. Y ffydd
A dreiglai fynydd,[117] nerth ympryd a gweddi,
Hen arfau sant, haelionus oedd eu dydd.
Ger Jwmna[118] a Ganga[119] diolch eto sydd.

Wrth dynnu allan o'r angladdol dân,
Lle llosgwyd ei gorff brau, y darnau metel,
Bwledi'r llofrudd, a glywodd rhywun gân
Ei fwyn faddeuant, salm ei gariad glân?

A phan ddaeth ton ar don i ddwyn o dref
A chyrchu ar led ei ludw, a gyniweiriodd
Yn nwfn y llif nerth ei wladgarol lef,
Peroriaeth rhyddid, nwyd ei hiraeth ef?

Y gainc anorffen ydyw hi. Nis clyw
Y mamon-wledydd blwng. Ond clust-ymwrendy
Darostyngedig lwythau dynol-ryw,
Disgwylwyr gwawr, israddol deulu Duw.

VIII

Nid oes gennym hawl i anobeithio;
Mae gennym gân am Gymru rydd
A chariad heb ddim ffiniau.
Nid oes a broffwyda dynged byd,
A'r maith ymgiprys eto a bery.
Ond proffwydaf y bydd yng Nghymru rai
Yn cynnal delfryd y dydd
Pan ymdaeno cysgodion nos.

Mae'r nos yn dyfod dros y byd
   A melys cofio'r cyfyngau claer
Pan nad oedd diymadferthedd mud
   Yn ffasiwn, ond gwrthsafiad taer,
A Duw i'r dewr yn gaer.

Pa beth a wnawn yn nos y byd?
   Arfogwn, medd y doeth, yn awr!
Ond ninnau'r ffôl, am gariad drud
   Y canwn, am Gymru a fydd yn fawr,
Am wefr rhyddid y wawr.

Cymru, ei glendid hi yw'r llun
   Fel llewych lloer ein dunos erch,
Dan gwmwl holl duraniaeth dyn
   At gyd-ddyn, eto'n cyffro ein serch
Fel cilgar lendid merch.

Deallaf bwynt y bedd yn awr.
Y bedd a welais i,
Gorweddai yno y Gymru ofnus lwfr;
Ar newydd wedd ceir Cymru'n bur.
O flodau'r aberth bydd yn hardd
Yn ei chadernid.

DROS GYMRU Y TRO HWN

A dyma'r ymgeisydd,[120] ffrindiau; rhowch glap iddo!
(Mae'n pregethu brawdoliaeth y Sul[121] a chasineb drwy'r wythnos.
A oes chwant newid 'i jobyn arno *fe*?[122] Pwy sy'n credu!)
    Chris,[123] mae'r enfys am dy enaid pur, ffanatig
    Yn seithliw o rinweddau broch.

Mae Bevan[124] dros ryddid, wrth gwrs – dros y môr. Iddo fe
Rhyw nwydd i'w allforio yw ymreolaeth i genedl.
('Roedd Eic[125] yn meddwl am Suez,[126] a Rita'n[127] gweld ffordd ymlaen
Pan roesom gusan i fyd arall ar ddwy bont.)
    Mae'r drych yn yfflon rhacs
    Ond lloer yw'r llun.

Pleidiau Seisnig yw'r lleill. Ffrindiau, dyma'r unig blaid
Sy dros Gymru. (Daro, beth yw'r enw 'nawr?
Mae 'na blaid newydd – plaid Mrs Smedley![128]
'Weda'i ddim mai ffwlcyn wyt ti, ond wir 'rwyt ti'n ffôl.)
    Dihafal raid sy'n cythru'r ias
    Yn yr omled o wyau clwc.

'Chawn *ni* ddim radio na theledu i hybu'r achos.
(10.30: rhaid tasgu'n ôl at Radio Cymru[129] ar ford y gegin
Gyda Katinka;[130] y ffôn, y gloch, y tâp, Harlech,
A dyma Pennar[131] wrthi a Hywel Heulyn[132] ac Isaac Stephens.)[133]
    Myrdd o nifylau'n llaethu fry
    Uwch rhwydwaith turaniaeth.

A dyma'r Athro Kohr,[134] o Awstria a Phuerto Rico.
Diwenwyn yw ei wên. (No, Matthew,[135] I don't agree.
What we want is *internationalism*... and fancy that,
Having a foreigner on your platform!)
    Cambria sub specie aeternitatis,[136]
    Y gwir hardd, myfi yw'r bugail hawddgar.

Ai cwestiwn yw hwn neu araith? Mae'n bwynt gennym ni
I groesawu cwestiynau. Mae'r Ymgeisydd yn barod iawn.
(Gwerthodd Marina ddeugain, a Llinos dri deg.[137]
Bu Wendy'n[138] llwyddiannus yn y mart; pump aelod yn y Bont.)
Safaf yn y farn, a môr yw'r dafn
Yn y ffrimpan eirias.

Nid economydd monof fi, ond 'rwy'n ddigon call i sylwi;
Yn y gwledydd bach sy'n rhydd, mae 'na siâp ar bethe.
(Yn heldrin yr hanner-pan a bwrlwm y *Schwärmerei*[139]
Daeth lloerau Trebannws ac Allt-wen, a chafwyd casgliad.)
Diolch am raffau'r addewidion
Yn y pydewau a'r parddu.

Garn-swllt; fe ganfaswn hwn o dŷ i dŷ.
(Duw mawr, a chi yw'r Ymgeisydd 'i 'unan!
Chware teg iddo fe, 'ddaeth y diawled erill ddim yn agos
I dwll bach o'r ffordd.)
A theyrnged Dafydd Orwig,[140]
Ni honnai Waldo[141] gymaint.

Mae bywyd cenedl yn y fantol, byw neu farw.
(Cymer gip ar y sothach yn y siop bapurau newydd;
Ffroena'r ymgreinio cachadurus; maen' nhw'n barod
I werthu'r lot, a'u genedigaeth-fraint fel ceiniog ar y botel.)
Daw adlais o ryw Gwrdd Gweddi gynt,
Ac ar Ei ben bo'r goron (ddrain).

Mae'r dydd yn nesu, ffrindiau, a chofiwch 'nawr,
Dros Gymru y tro hwn! (Hoffodd Pont-lliw farf Roy;[142]
Pam gythrel na rowch chi fiwsig ar y corn, yn lle'r siarad
Cras uffernol yna? 'Fydd helynt Soar yn ddim lles chwaith.)[143]
Credaf yng Nghrist a'i drist dranc,
Mae'r Pysgodyn dan y Triban.

AR Y FFORDD I'R MÔR

Ar y ffordd i'r môr
y dywedaist o gornel gynnes:
Ewch heibio fryniau mân a chaeau twt,
'rwyf yn teimlo'n well yn awr.
Dawns y newydd-loerau ar fy mron
a ddwg angof fel llysiau Helen[144]
ar orwelion sy'n ffinio â'r bytholfyd llifol
heb gyfri'r mwg mwy fel chimaerau[145]
fy hiraeth hurt.
Mae popeth yn llifo'n aberoedd simneiog
o ddail y ffawydd coch a'r amhosibl amherthnasol,
rhwydwaith y blagur-drochion dan fy nhraed,
trobwll y Byth Eto, rhaeadr fy nwydau ewynnog,
arllwysfor cusanau gwyrddlas.

Ar y ffordd i'r môr
cofiaf mor drist yr oeddem yn yr orsaf
pan guddiodd ei hwyneb ar fy mron.
'Roedd hi'n wylo a dywedais
Rhaid inni beidio â thynnu sylw
yma yn yr orsaf.
'Rwy'n mynd ymhell, 'rwy'n mynd am byth,
dros fôr, yng ngeiriau bardd yn bert,
dros fôr fe droes i farw.[146]
Mae pawb yn edrych arnom, paid ag wylo,
gwrando ar dy Hector,[147]
fy hardd Andromache[148] ar lwyfan trên.
Mae'r ofnau'n llethu, a chwerw
yw gweld y gwanwyn ir.
Ni ddylai fod yn Fai;
a storm yr einioes ar dorri draw
ni ddylai Mai ddeilio mwy.[149]

Ond af i'r môr a'r storm a'r gwynt,
gyda'r môr a'r machlud yr af allan

lle ni'm dilyn llygaid ffenestri pell.
O wynder y myrdd penglogau perl-dan-y-môr
a gemau a gwymon a gwymon a gemau yn gymysg[150]
yn ddylif anapaestaidd[151] dygyforiadau gwyrdd
fel naid o ddeiliog rwyll i chwerthin ceirios.
O ymollwng O noethni
yn angau'r ewyllys mewn ymsuddo i'r dwfn ddiddymdra
i hoen bachanalaidd[152] y ddawns dan y don
a nwyfiant newydd-loerau yn nofio.
Cymerwch fi i'r esgyrnlu angylaidd,
y plasau hud a'r dorau dŵr,
labrinthau'r môr-forynion,
temlau pob arial, pagodau'r nirfana[153] dyfrllyd,
i'r ildio olaf tu hwnt i'r ewyllys.
O sugnwch fy suddau,
golchwch fi oddi ar y traeth
i lesmair Lethe[154] lydanfraich.

Y DDAU GWRDD

Mae'r saint wrth droed y bryn mewn capel llwyd,
A ninnau fry yng nghysegr ein nwyd.

Dibynnant hwy ar eneiniedig frawd;
Mae gennym ni eneiniad siŵr y cnawd.

Moliannant hwy rinweddau Calfari;
Hyfrytach ydyw rhin dy ddwyfron di.

Llefarant hwy lifeiriol odlau hawdd;
Tawedog yw taerineb Bwlch-y-clawdd.[155]

Hyderus yw eu llef, di-gryn eu traed;
Pêr-ofnwn ni ein dygyforus waed.
Ond unpeth trist a'n clyma ni â hwy,
Er bod i ni'n ddiau orawen fwy;

Saint a chariadon, pwy o'u plith na ŵyr,
Wedi'r gwahanu, cilia'r hwyl yn llwyr.

Y PREGETHWR-BECHADUR

Teflwch y sen arnaf fi, ac nid arno Ef.
Bydd Ef yn deall a wneuthum:
ffolais gymaint ar rym Ei gariad
nes i Agape[156] lifo'n Eros;[157]
wrth ymdaflu i'r bywyd helaethach
aeth greddf yn drech na gras,
ac fel bugail y *Symphonie Pastorale*[158]
fe'm cariwyd ymhell o'r dyfroedd tawel.
Mae 'nghyfeillion i gyd yn synnu,
Ond synnant yn fwy at stori ei faddeuant Ef.

FFIOL BYWYD

(Wedi darllen trosiad y Dr. T. Hudson-Williams o gerdd enwog Lermontoff)[159]

Yfwn o ffiol bywyd,
　　Erom y chwardd ei min;
Gall nad yw'r gwin ond breuddwyd,
　　Ond heddiw gwrida'i rin.

Hon yw'r wir Greal Santaidd,[160]
　　Cwpan yr uchel boen;
Profwn o'r alaeth oesol
　　A gwefr yr anesmwyth hoen.[161]

Tynged a'i dwg o'n dwylo,
　　Hi dwylla'r wefus gu
Pan dyrr. A blysiwn, blysiwn
　　Hael ddrachtio o'r hanfod hy.

Yfwn o ffiol bywyd,
　　Blaswn y breuddwyd ffôl;
Mae gofid yn ei gwaddod
　　Ond hiraeth ar ei hôl.

NID OES OND GOLEUNI

Nid oes oleuni ond i'r dall
pan grafo lleng y tannau serennog cudd
a Babel[162] y cymylau yn gwatwar adleisiau diniwed
hen sêr y bore.
Nid oes ffydd na dim gobaith
ond i'r bolrwth cysurus,
yr Alexandriaid[163] sy'n ymladd drwy'r ffôn,
i'r bras eu byd sy'n ddygn arwrol
yn concro byddinoedd o blant bychain;
i'r crothau di-epil a wrendy'r Newyddion
a gwefr yn eu gwaed – am waed.
Gwelsom sclerosis y gydwybod
yn haearneiddio'r dyrfa groeshoelgar
a dad-hoelio'r haul wrth hoelio'r hil.
Codau llawnion sydd yno
ac wynebau tirion gwŷr y Sanhedrin[164] gern-ynghern
(gwefus bur a dweud y gwir);
llyfant fel cŵn, trachwantant, poerant, madreddant,
cyfarchant y Milwr a'i anfon i'w fedd,
nid hwy mo'r Morituri.[165]
Na, nid oes oleuni ond i'r dall
na gobaith ond i'r glwth dros-yr-oed.
Wele gysgodion rhyw nos heb Gedron[166] heb Grist
angharuaidd nos y colledig
na feiddiom ynddi dosturi nac ymbil
na dagrau na theloraidd alaru.

MORGENROT[167]

Goch y wawr, coch y wawr
Hyfryd oedd yr heriol awr.
Lle'r oedd tri mewn cur yn tario[168]
Llamodd fflam sydd eto'n tanio
  Pob rhyw Gymro a garo'r dydd.

Goch y nawn, goch y nawn,
Chwys yw chwaer pob nerth a dawn
Sy'n diwreiddio drwy ein daear
Chwyn yr hen waseidd-dra claear;
  Gwinllan Garmon[169] eto a fydd.

Goch y machlud, goch y machlud,
Pwy a edrydd stori rhyddid?
Mwyn fydd gwrid y du gymylau
A fu'n bygwth gwlad ein tadau.
  Arall ddydd ddwg arall her.

MEWN GARDD O GOED

("Gwan iawn a disylwedd yw'r syniad am 'bechod' yng Nghymru heddiw" – Saunders Lewis)

Mewn gardd o goed, ar noson syrthlyd,
Ymdrech yr ymgodymu mawr;
A'r chwys fel gwaed[170] (tri'n cysgu'n awr)
Yn syrthio'n iraidd ar y llawr.

Ar ôl y ddawns, yng ngardd y neuadd,
Rhyw gyffro brwysg a chnawdol sawr,
Ymdrech cenhedlwr. Mwy ni'm dawr –
Syrthiodd y neithdar oll i'r llawr.

COSTA RICA

Pan fyddai'r clychau'n fud uwch Costa Rica[171]
A phorth Santa Marïa wedi cau,
Bryd hynny o dan balmwydd Costa Rica
Caem brofi o'r direidi sy rhwng dau.
  Balmwydd Costa Rica, süwch,
  Süwch yn y galon sydd ymhell!

Gadewais innau draethau Costa Rica
A thario yn y tiroedd prin eu haf,
Y tiroedd lle mae'r dail yn gorfod gwywo
A'r blodau'n gorfod colli eu lliwiau braf.
  Flodau Costa Rica, gwenwch,
  Gwenwch yn y galon sydd ymhell!

Ac eto ni bydd nos a'r lloer yn codi
Na chofiaf y mwyniannau dros y don,
A'r lloer a ddôi drwy balmwydd Costa Rica
I gymell serch, i doddi eira'r fron.
  Loerau Costa Rica, twynnwch,
  Twynnwch yn y galon sydd ymhell!

Ac weithiau pan fydd gwaed yn lliwio'r machlud
A minnau'n cofio loes rhyfeloedd blin,
Hiraeth am hen heuliau Costa Rica
Yn machlud uwch gwarineb serch a gwin.
  Heuliau Costa Rica, gwridwch,
  Gwridwch yn y galon sydd ymhell!

Y GWEINIDOG GARTREF

Y Sul nesaf bydd y gweinidog gartref
ac yn gwasanaethu.
Bydd yr Ysgol, fel arfer, am ddau,
Gweinyddir y Cymun yn oedfa'r hwyr...

Mae yntau Jones yn tueddu i glebran
gormod o lawr y dyddiau hyn;
ac wedi'r Ysgol Gân a Chwrdd Swyddogion
tybed a fyddwn mewn pryd
i'r sioe deledu?

O Fynydd Seinai a Mynydd Carmel
Mae'r ffordd yn bell i Galfari;
Y saint ni wyddant na gwyldra Seinai
Na hyfdra Carmel;
A sawrant heddychiaeth ar Galfari.

RHYW NEWYDD WYRTH

"There are now 20,000 test-tube babies in America." – Papur Newydd.

Mae'r fam hon wedi'r cyfan,
hon yw fy annwyl fam, y feichiog fach,
yn debyg iawn i Mair;
ni chafodd gysgu gantho
ac ni bu rhwng dau
lesmair a chyffro ar wely.

Ond mae gwahaniaeth sy'n ffafriol
i'r Ysbryd Glân ac i'r Duw grëwr,
sef parthenogenesis.[172]
A siarad yn ddynol,
ex nihilo nihil fit.[173]
Chwarae teg i'r gwyddonwyr,
Canys tyner yw carwr y diwben
Er cronni ynddi hi
Ryw fil defnynnau ffromus
O storom nwyd a'i chri.

Y cam nesaf?
Rhaid hepgor y groth, y forwynol groth.
Rhyw newydd wyrth o'r geni drud
a ddaw o hyd i'r golwg.

I'R LLEIDR DIEDIFAR

Llongyfarchiadau, y diedifar![174]
I Galfaria troir wynebau atat ti.

Patrwm ein dynoliaeth ydwyt
a'r Logos[175] i'r ugeinfed ganrif.
Canys anniffodd oedd tân dy gablau
yn llifeiriant ei gariad Ef;[176]
er clywed mawredd y maddeuant
a'r cymod fel sêr-nosau Galilea
yn ei lygaid Ef,
dyrnaist yn dy boenau Ei deyrnas;
morthwyliaist ergydion
dy wawdiaith a'th chwerwedd.
Mwy petraidd[177] oeddit na Phetr.
Yn llynnoedd llaid y dripia'r gwaed i lawr
oddi ar dair croes.
Ti'n unig a syrthiodd
y tu hwnt i obaith a breuddwyd a chred.

CYMER, LOEGER

(Emyn cyfaddas i'r Gymru gyfoes)

Cymer, Loeger, f'einioes i[178]
I'w chysegru oll i ti.
Pob rhyw gyfoeth a phob dawn
Fyddo'n feddiant iti'n llawn.

Cymer di fy mhlant i gyd,
Llusg hwy wrth dy beiriant drud.
Myn fy meibion, hawlia hwy
I fod yn filwyr iti mwy.

Cymer hoen fy naear hardd.
Gwaun a dyffryn teg lle tardd
Pob gwarineb: eiddot ti
Fydd ei harddwch hoywaf hi.

Cymer rin fy heniaith lwys,
Rhosyn llawer canrif ddwys.
Dod hi'n dyner dan dy droed,
A chaiff farw yn ddi-oed.

Loeger fwyn, fy nwyd a'm nod
Fyddo'n gyfan er dy glod.
Mae dy lwybrau oll yn hedd,
Ti yw 'mywyd, ti yw 'medd.

Y DDOGN HAUL

A gawsoch eich dogn o haul?
Bu'n ddigon prin eleni!
Rhwng cawodydd glaw
Mae heulwen draw,
Byddai colli hon yn drueni.
A fuoch yn awyr y môr
Yn rhodio'n rhydd eich moesau?
A fu ewyn y don
Yn hy ar eich bron
Neu'n goglais blew eich coesau?

A gawsoch eich dogn o haul
Yn straen y blynyddoedd llwydion,
Pan oedd gwŷr ar y clwt
Yn hir yn y gwt,
A chardod ar liw'r breuddwydion?
Rhy anodd oedd ffoi bryd hyn
I fryn a maes a marian.
'Roedd y gegin fach
Yn cuddio'r crach
A greodd meistri'r arian.

Ni chawsom ein dogn o haul
Yn y Gymru aflêr a fu,
Ac erys y graith,
Mae miloedd heb waith,
A lladron ein tir yn llu.
Mae'r hen dreftadaeth yn sarn,
A gwallgof yw'r bydan chwil.
Gwnawn y Gymru Fydd yn Gymru Rydd,
A mynnwn haul i'r hil.

DWYLO

(Arwyddair Pont Menai, Mai 1947: Hands off Wales)

Gadawn y ddarluniadaeth rywiol, feirdd,
yn y cyswllt hwn.
Na soniwn am forwyn a threisiwr ac yn y blaen.
Y dwylo sydd ar Gymru,
ynddynt hwy, yn eu grym glwth am ei gwddf,
nid oes dim mor nobl â nwyd, mor onest â greddf.

Datglymer hwy â geiriau hagr y gwir,
y dwylo anaeddfed i anwes anwylyd
neu blethiad bysedd gweddi'r ffydd;
dwylo pob ystum erch, dwrn dyfal i daro,
cylch tyn i dagu, a chrafanc lydan
i grafu a mân-grafu'r ysbail;
y dwylo breision ewinfawr, fe'u gwelsom
yn rhuddgoch o'u rhaib, er y bys offeiriadol
sy'n dwyn moralîn[179] i'r cynghorau;
a boliau'r Beviniaid,[180] llurigau[181] ŷnt hwy
i filiynau'r Butliniaid.[182]
Dyma'r criw llindagus mamonllyd!

Datglymer y dwylo ar Gymru y sydd,
O tynner hwy ymaith
â geiriau hagr fel gwaeau'r Crist –
os â geiriau y gyrrir pob ffiaidd ar ffo,
pob lleiddiad i'w ffau.

DOLAU COTHI[183]

Y mae aur yn Nolau Cothi,
Elwodd rhywrai arno'n fras;
Ond er praffed eu proffidio
Gwn am aur o loywach tras:

Aur y gwanwyn ar yr eithin,
Aur y blodau ar y fron,
Aur y machlud ar y mynydd,
Aur y llewych ar y don.

Llonned dyn ar lannau Cothi,
Rhodded aur am aur yn ôl,
Fel y pysgod yn yr eurwawl
Yn torheulo euraid gôl.

BENGHAZI[184]

Yng nghanol sŵn y brwydrau erch
Mae hithau'n llond direidi merch.

Daw'r carwyr oll yn rymus-freiniol
I'w chymell i'w harîm dwyreiniol.

Ond hithau'n swil amhenderfynol
Sy'n brae i bob oriogrwydd dynol:

Gan wylo bob yn ail a chwerthin
Ni ŵyr i bwy y mae hi'n perthyn.

ANTAIOS[185]

Fel Antaios y mynnwn fod, cael bod yn siŵr
o'r Ddaear hon, fy mam,
yng nghanol gwyntoedd certh; a phan ddôi cwymp,
cael cwympo'n glwt ar fron y Ddaear gref
lle gorwedd Cymru ddofn
a chodi eto'n nerthol.

Ni fyddai'r holl fethiannau a gawn
yn erbyn teulu'r fall
ond moddion adgyfnerthu; a byddai pawb
yn synnu o'm gweld yn codi i'm gliniau
ac i'm traed
a newydd nerth yn trydaneiddio'r blin
am fod yn naear Cymru rymus rin.

BRYN Y BAEDD, RHYDYCHEN

(Clywed y Llu Awyr o ymyl Sandridge, tŷ'r diweddar Athro F. Ll. Griffith)[186]

Daw cynnwrf drwy yr awyr glir
Lle gynt y bu tawelwch hir, –

Ond pan agorai'r dryw ei big
Wrth erlyn cymar yn y wig,

Neu pan chwibanai'r llaethferch gân
Wrth hebrwng rhes o fuchod mân,

Neu pan weryrai'r gaseg lwyd
Garuaidd gyfarch uwch ei bwyd,

Neu grawcian llyffaint yn y ffos,
Neu furmur gwybed gyda'r nos:

Ond heddiw lleisiau'r byw sydd fud
A sŵn y peiriant lond y byd.

ICH MUSS DICH LASSEN[187]

Gymru, rhaid i mi dy adael,
Er tynned fu dy afael
Rhaid imi deithio 'mhell.
Mae gwynfyd Groeg yn denu,
Hen stori, cyn dy eni,
Ond nid yw'n stori well.

Iesu, rhaid mynd o'th heulwen
I'r gwyll na ddyry seren
Ond sêr y duwiau ffri.
Apolo[188] fydd fy nghysur
Ac Isis[189] deg ac Osir,[190]
Helen[191] a'i helynt hi.

Fy mun, a ddeui dithau
Yn gwmni ar y siwrnai,
Fy Ariadne[192] gref?
O'r labrinth fe gawn nesu
At Gymru ac at Iesu
Pan ddeuwn dro i dref.

EIRIOLWYR

Ar liniau f'annwyl gariad
Mae geiriau dwys fy nghri,
A chwiliaf am eiriolwr mad
A bledio f'achos i.

Dadleuaf hud Aglaia[193]
A nwyfus lam ei throed
Pan dery pibau eglur Pan[194]
Eu nodau yn y coed.

Dadleuaf galon unig
Morwynig Tawris[195] draw,
Pan godai hiraeth tan ei bron
Fel ymchwydd ton ddi-daw.

Mi enwaf dduw'r grawnsypiau[196]
A grym ei hyfryd boen
Gan laned gwedd Ariadne[197] deg
A channaid liw ei chroen.

Pob hoen a thristyd calon
A wybu dyn a duw,
F'eiriolwyr angerddolaf,
O perwch im gael byw!

HEN FRYNIAU OER ASSYRIA[198]

(Myfyrdod ar ymadrodd gan gystadleuydd)

Hen fryniau oer Assyria!
  Rhaid cau fy ffenestr fach
Rhag ubain yr awelon
  A fu'n cythryblu f'ach.
Awelon bryniau Assur,
  Rhy greulon ŷnt i mi;
Chwythant fygythion rhyfel,
  Glawiant y gwaed yn lli.

Hen fryniau oer Assyria!
  Cofiant ryfelgyrch cryf
Sennacherib[199] a'i luoedd,
  Ac Esarhadon hyf.
Cofiant y myrdd gaseion
  I Assur lwth a'i lid,
A dreng gaethiwed Seion
  Ymhell o'r sanctaidd dud.

Hen fryniau oer Assyria!
  Mae ceinder ambell lun
O lewes gaeth mewn carreg
  Yn tystio i harddach dyn.
Ond gwae i'r chwil wallgofrwydd
  A chwalai'r byw i'r bedd;
Os yw Ninefe[200] yn lludw,
  Ni ddarfu haint ei hedd.

Hen fryniau oer Assyria!
  Daeth dyddiau pell yn ôl,
Tymhestloedd mwy na'r cynfyd
  Sy'n herio'r bydan ffôl.
'Rwy'n cau fy ffenestr fechan
  Rhag gwaeau'r storm a'i grym;
Ond och! gwn yn fy nghalon,
  Nid yw yn tycio dim.

BUOST GREULON

Buost greulon, ond odid, O Dduw,
yn dryllio llifddorau'r synhwyrau
â'th fraich hy
mor sydyn,
fel pe rhwygid croth y tymhorau
a thaenu eithaf paradwys haf
yn ddi-ddarogan, di-wanwyn.

Erglyw ffustiad
ei gwythiennau cynnes,
gwêl chwydd ei bronnau,
ei gwrido chwim,
a'i llygaid fel bryniau'r haf
yn hongian niwl tenau
o ddeunydd hiraeth a breuddwyd.

Gwêl flys ei chnawd
a thaerni ei thymherus nwyd,
weithian yn dal gwefusau gwlithog,
a'i gwedd yn gwahodd,
a rhyfyg ugain o raeadrau
yn nwyf ei chwerthin;
weithian yn cilio'n glau,
fel llif ewynnog ar y lan
yn cywilyddio rhag ei fenter
a mynd yn ôl
i'r môr mawr diogel.

A lawenhei Di y cnawd a gyffroaist
heb ei ddryllio?

Y FFOEDIGAETH I'R AIFFT[201]

Daw hoen o safn y dychryn
 A rythodd uwch y crud;
Dirwyn y mae i'r dyffryn
 Dwyfolaf yn y byd.[202]
Mae'r sêr uwch erwau creigiog Sinai'n[203] glir
a'r delta llon
yn rhwydwaith o wyrddlesni'r serchog dir.

Yn hir yr wyla Rahel[204]
 Yn ninas hen y ffydd,
Ac ni bu loes un ffarwel
 Pan fentrodd tri i'r dydd
A'u dug yn dawel i fagwrfa'r hil
i swcro'r Mab
dan balmwydd bythol-dyner glannau Nil.

Ac yno lle mae'r heuliau
 Mewn ffurfafennau glas
Yn gwasgar gwawl i'r gweiriau
 A'r cynaeafau bras,
Daw Mam a'i Mab i'r brwyn a'r lotos llaith
lle bu'r duw Hor[205]
yn cuddio gydag Isis rhag ofn y graith.

Ger pyramidiau Memffis[206]
 A themlau'r wawrddydd bell
Cludir y Crist uchelbris,
 Saer rhyw wareiddiad gwell.
Boed fwyn eich murmur, donnau haelfrig Nil,
pan ddelo ef:
Daw golau'r Aton,[207] bywyd Osir yn ei sgil.

AR FORE SUL

"Rhaid golchi'r car ar fore Sul."
A dyna'r seremoni ddwys o'm ffenest llofft a welaf.
Cysondeb yr addolwr sydd ynddi,
ac ef ar ei gefn
yn aberthu'r dŵr sanctaidd
a pholish ac ambell boeryn.
A dyna fe ar ei fola am funud
yn y dull dwyreiniol hen: *sen ta cher netjer.*[208]
'Nawr wele olwg daer ar y coluddion,
un olwg dyro ar dy wedd;
a jiawch dyma fe ar ei liniau ger bron ei dduw!
Bron na ddyry gusan ffydd.
Cyn hir bydd y corn yn canu
at y gwasanaeth prynhawnol
a'r weddi'n feichiog yn y galon fud,
"Beth am yr awr cawn fynd i'r môr?"

GWLEIDYDDA DROS GYMRU

Er pob rhyw ganlyn ar ein hôl
Heb obaith ac mewn gobaith ffôl
    Ni cheir mo'i chariad hi.

Er galw i gof y chwerthin rhydd
A'r hen anwyldeb 'slawer dydd
    Oer yw ei mynwes hi.

Er addo glynu wrthi'n bur
A bod yn ffyddlon fel y dur
    Pell yw ei chalon hi.

Er dwyn ei beichiau fore a hwyr,
Gweddïo a gweithio drosti'n llwyr
    Anodd ei hennill hi.

Mae pridd ac iaith yn gwlwm crwn
Ond ni fyn Cymru mo'r carwr hwn:
    Drygwyd ei llygaid hi.

Morthwyl a chryman, baneri'r byd,
Pob estron glwt a ddwg ei bryd –
    Pwy a'i dadrithia hi?

Y LLYTHYR

(O'r Almaen, 1944)[209]

Clywaf rhwng llinellau heini
Sŵn y galon fach yn torri.
Ond mae'r cyfan hyn i'w ddisgwyl;
Paid ag wylo, 'ngHariad annwyl.

Clywaf yn y geiriau cynnil
Holl ymbiliau'r myrdd ugeinmil.
Clywaf ruthr ac atsain carnau
Gwelwlas farch y lleng gofidiau.

Gwastadeddau a fling yr oerwynt,
Glwth yw gloddest angau arnynt.
Newyn, Newyn, cilia, cilia,
Gad i Dduw estyn Ei fara.

RHAGAIR I'R HAF

Ceir llawer darllenydd call, tu-hwnt-i'r ias
ac efallai y cryna'r tudalen weithiau
rhwng bysedd annisgwylgar.

Neu hwyrach mai llyfrgellydd wyt ti,
meistr ar resi'r tymhorau trwchus,
dy law'n gynefin â'r cyffro gwyllt
nes dodi trefn
a llocio'n ddiogel lond silffoedd o hafau nwydus,
cynhyrfus, halogedig, –
rhifedig mwy, catalogedig.

Ni thwyllwyd monot ti, mae'n debyg,
gan sioe'r modernid
sy'n llygad-dynnu llu
pan barselir inni lyfryddiaeth lachar
y gwanwyn, yr awdur newydd-newydd.
Mae ei driciau i gyd yn hen, onid ydynt?

Wel, dyma gyfrol arall i chwyddo hen Gyfres Pobun,[210]
a diolch i Dduw, fe ddaeth eto mewn pryd;
hen-ffasiwn ddigon yw'r argraffwyr a'r peiriannau
(buont wrthi er cyn y dilyw,
yr adar a'r fflur, traserch y môr a'r haul),
ond eddyf y fall y gellir dibynnu arnyn *nhw.*

UNWAITH YN IEUANC

"Bwriadaf aros yn llanc." – Dr. Pennar Davies, mewn llythyr, ychydig flynyddoedd yn ôl.

Unwaith yn ieuanc – gweler y gwir –
Unwaith yn frwysg gan y gwanwyn ir;

Unwaith yn nwydwyllt, unwaith yn gryf,
Unwaith yn broffwyd yr herio hyf;

Unwaith yn arwr, unwaith yn ffŵl,
Unwaith heb bwysau'r pwyllogrwydd pŵl;

Unwaith ar flaendon y Cariad mawr,
Unwaith yn cyfarch porthladdoedd y wawr;

Unwaith yn hapus heb ddim yn y banc,
Dwywaith yn blentyn, unwaith yn llanc.

I'R DRYW A SAETHWYD[211]

(Math fab Mathonwy)

Neu, Yr Awyrblaniwr Dienw

Ymhell o Aber Menai ir
 Uwch tonnau difwstwr
Hofrennaist yn yr awyr glir
 Heb ofni dichell gŵr.

Yn llawen uwch yr hwyliau pêr
 Mentraist yn hoyw-lam untro,
Ac oedi fel seren ddiysgog dêr[212]
 Yn ffair y cymylau ffo.

Ond disgyn wedyn i dynged ddu,
 O loes neu ludded mwrn;[213]
Bwrw o'r mab a medru'n[214] hy
 Rhwng esgair ac asgwrn.

Am farw ohonot nid oes gwae,
 Namyn gorohïan[215] a gwres;
A'th gwympo'n swp, y mae'n
 Gaffael i Leu Llaw Gyffes.

Y targed cyfleus oeddit ti,
 Cocyn hitio i wrda;
Arianrhod, ni theimlai hi
 Ddolur lleiaf o'th ddala.

A Gwydion y crydd a adewaist
 I edmygu'r saeth;
Rhyw Albatros wirion, o'th ôl ni ddygaist
 Nac elor nac alaeth.[216]

I KATINKA[217]

Pan oedd fy nghariad i lawr yn y berllan[218]
Bûm innau hefyd yno fy hunan,
A'r suddau hyn o ffrwythau melys
A ddeil o hyd i ruddo'r wefus.
Mefus a mafon, Katinka fwyn,
Blas y blys.

Y ddwy foch goch a'r ddau lygad du,[219]
Wrth droed y mynydd y gwelais hi.
Bu yno sibrwd sionc a siarad,
Bu yno fwy na gair o gariad.
Katrinchen, yr eneth ffein ddu,
Lenesque sub noctem susurri[220]
Daeth nwyf Gwenerau[221] i'n direidi,
Bugeilio'r gwenith gwyn a'i fedi.

Clyw y curo traed a dwylo,
Clyw fy nghalon yn d'anwylo.
Wynebau heulog oll yn ffoli
I eilio'r gytgan sy'n dy foli.
Hali, O Hali, Hali-ma![222]
Mae'r gwin yn goch a'r ddawns yn dda,
Ac ni bydd Hali yn dweud na,
Kätchen von Lutherstadt![223]

Ar lan yr afon wrth y rhyd
Y cyfarfûm â'r hardd ei phryd.
Mae sêr y llygaid, heuliau'r bronnau
Imi'n drysor ger y tonnau.

Llifed hanes heibio'n glyd,
Unir ni ag oesau byd.
Alma wara gabalwni![224]
Katinka o lannau Nil.

I'M NITH

Käthe Bosse, tair oed, yn Wittenberg-an-der-Elbe (Lutherstadt), talaith Rwsiaidd yr Almaen, ar ôl cael darlun ohoni.

Was fur ein schönes Bild![225]
Nid wyt ond tonig smwt ym môr y maes
yn edrych tua thraethau llon y clôs
a'r beudai a'r ysgubor fawr
fel pe bait lawen yn yr iachawdwriaeth hael
a ddwg yr eangderau ffrwythlon, llaith.
Nid digynhaeaf fôr yw hwn!

Edrychais arnat ti fel un o filiwn
ac ofni'r cam-gymharu.
Rhesymeg lle a chyfle, gwlad a thref,
sydd eto'n graddio'r cyni, yn llwybreiddio serch
neu'n codi dôr di-allwedd.
Mae sail ddifai, caf gredu, i'r gruddiau pwff
a'r wên a'r hyder, a'r cariadus bwt
a ddaeth fel hyn yn chwim drwy'r "Llen Haearn".[226]
'Rwyt tithau'n ferch i ffermwr
a'th dad hefyd yn Gommissar
a natur Yogi[227] yn dy fwynaidd fam.
Ac nid yw Ivan[228] chwaith mor ddrwg â'i stori.

Nodiad: Ar ôl sgrifennu'r uchod, daeth y newydd fod y teulu wedi ffoi i'r dalaith Brydeinig.

FFARWEL YR ATHRO

(Er cof am Stephen E. Davies,[229] ysgolfeistr Llawrybetws[230])

Yn dy aros di, heibio i'r gwrychoedd a thrwy'r barrug,
mewn hindda a drycin fel y dygai'r dydd,
heb gyfrif gofid cudd na lludded gwaith,
yr oedd gwenau, gwenau'r plant.
Diadlam yw pob ffawd a phoen,
ac nid i feidrol y rhoed drysu'r drefn
pan dry'r cystuddiedig i'r unigrwydd
lle ni thraidd ond y câr anwylaf.
Ond treiddient hwy, mi fentraf gredu,
i lafnu'r niwl a serennu'r nos,
a'r sioc felysaf yng nghrochan dua'r fall
oedd gweld direidi'n berwi,
direidi'r gwenau, gwenau'r plant.

Heddiw dros dro, aethant yn ddagrau
wrth weld dy ffarwel sydyn
fel haul a droes yn seren wib
a neidio i'r gorwel syn o ganol nef;
a daeth yn sŵn emynau'r cynhebrwng,
rhwng llinellau'r weddi a'r deyrnged,
gyfeiliant y dagrau, dagrau'r plant.

Nid hawdd y clymir plentyn wrth a fu;
bydd dyddiau a thasgau newydd
ac ynddynt yr wynebau newydd.
Ond pan leddfir loes a thynnu colyn cur
daw eto'n ôl
mewn atgof am gwmni'r meistr oedd yn ffrind
y gwenau a drysoraist,
gwenau'r plant.

ER COF AM ENID LLOYD JONES, LLAWRYBETWS

Lle bu llengoedd Rhufain
A brenhinoedd gynt,
Llithrodd angel yno,
Darfu ei phuraidd hynt.

Alaeth mwy yw miwsig
Llif Nant Ffraear ffri;
Syrthiodd yno Enid Llwyd,
Mawl ei bro oedd hi.

Gwiw oedd gweled ynddi
Mair a Martha'n un;
Creulon oedd ei thynged
Ail Palinurus[231] gun.

Nid oedd lloer na chanllaw
Rhag y dyfroedd oer.
Ond Iesu'n awr sydd iddi
Yn ganllaw ac yn lloer.

ARMAGEDON

(I D.M.)

Fe ddryswyd f'eschatoleg[232] i
Gan bair y ddaear drwstan;
Mae'r almanacwyr oll yn fud
Am ddilyw o dân a brwmstan.

Ond wedi dyfod dydd y braw,
Wel, gorau'i gast amdani;
Mae llu o'r dylanwadol griw
Yn llwyddo'n dda i'w gwân-hi.

A diawl, bûm innau'n eitha doeth,
Yn dduwiol mewn ffordd garcus;
A sylweddolaf fwy bob dydd
Im fod yn gythgam lwcus.

Fy marn, yn rhydd, amdanat ti
Oedd hyn: wmbredd o sêl
Dros Gymru a'i phethau gwiw, ond nid
Arwr o ffŵl mewn jêl.

Eithr clir diwyro yw dy ffordd
At fainc y gwŷr colicaidd,
Ac nid ffon ddwybig yw dy ffon,
Ond pastwn syth Stoicaidd.[233]

Dy wamal dafod sydd fel dur,
Ni chryn dy chwimwth law;
Ni theimli hiraeth am a fu
Na phryder am a ddaw.

CYSGOD EI ADAIN

(Er cof am W. P. Evans, a fu'n arweinydd y gân ym Moreia, Pentre, Rhondda, ac a fu farw oherwydd cwymp yn y pwll glo.)

Offrymaist weddi fynych
  Ar ben Moreia fryn:
"O Arglwydd, cofia'r glöwr
  Y dyddiau caled hyn;

"Pan fydd yng nghrombil isaf
  Y ddaear dywyll ddu,
O taena'n dyner drosto
  Gysgod Dy adain gu."

Daeth arnat, ac erys mwyach,
  Bwysau'r hen ddaear ddu,
Ond gwyddost ystyr newydd
  Cysgod Ei adain gu.

I LEWIS VALENTINE

(Gweinidog gyda'r Bedyddwyr)

Os wyt yn curio rhwng y muriau mud,
A hil Herodias[234] mewn neuaddau clyd,
Boed mawl i'r Duwdod am dy roi i'r byd.

Fel y Bedyddiwr gynt, bu ddewr dy gad
I sicr balmantu ffordd dy Arglwydd mad,
A thrwmp dy lef yn atsain hyd y wlad.

Ni thraethaist weniaith i foneddach tref,
O'r anial gerwin daeth dy ffydd yn gref:
Nid ofnaist frenin onid Brenin Nef.

Fel y Bedyddiwr, nid arbedaist fai,
Dirmygaist ofnau y cynffonnog rai:
Cyhoeddaist bydredd cudd ar bennau'r tai.

O weld yn Llŷn buteinio grymoedd glân,
Cyfrifaist dy ddiogelwch fel llwch mân,
A rhoist yr adeiladau brwnt ar dân.[235]

Clodforwn Dduw am it ei chael i lawr,
A'i threchu hi, os ond am ennyd awr.
Cans arni hi mae gwaed y Butain Fawr.[236]

I BOB ROBERTS TAI'R FELIN[237]

(Y Canwr)

Rho dro arni eilwaith, arglwydd yr alaw,
Myn mefus a mêl, consuriaeth gain yw;
Lliw'r meillion a'r ŵyn sy'n ateb yn ddidaw
I swyn titrwm tatrwm dy geinciau byw.
'Rwy'n blasu cawl cennin a chloben-o-baste-fale
Yn sŵn yr Hai-ho a'th Ffal-di-ri-ral,
Rhialtwch y ffeiriau, Gaeaf a Glame,
A'r miri ym Meirion, bro'r tenor tal.

Y werin fonheddig lawen ddiorffwys
A welaf ers talwm ar liwgar hynt;
Daw tristwch i'r gân, a thristwch diamwys
Fel alaeth yr asyn ar siwrnai i Fflint.
Dy flewyn glas iraidd a'm hudodd i feddwi
Ar Benllyn dy hwyliau a sioncrwydd dy wên.
Cân rhagot, lon leisiwr, ffynned dy egni,
Os ciliodd blynyddoedd, nid wyt yn hen.

I'R DR. E. K. JONES[238]

A'th rin glew traethir yn glir – dros heddwch,
Dros haeddiant cred gywir;
Daeth o awel d'ucheldir
Drysor gwyn dros her y gwir.

Y NOMAD

(I Weinidog ar fin symud)

Y nomad, ffrind, oedd yn iawn.
Cyn gwawr y gwareiddiadau bras
ni fynnodd garu hyd at ymsefydlu;
dysgodd godi ei bac a mynd
a fflam chaotig yn ei ddwrn.
Doeth eto yw dilyn plant yr hil
a bod, dan gysgod pob cyfnewid,
yn helwyr hylaw, yn garafanwyr parod.
Os cryf yw'r tŷ, sefydlog gaer ein gwaith,
Nid yw ond caban unnos ar lwybr y daith.

Gwyn fyd yr athro peripatetig
a'r masnachwr cyniweiriol.
Canys gwelant rith y mynydd hwn
a'r mynydd arall.
A thithau'n aros dro mewn tŷ gweinidog,
yn ddiatreg yr ymddihatri.
Fel un o'r anfeddiannol werin,
gwyddost ffawd dyn: cyfod, bererin!

CARCHARORION

(Constance yn cofio Paul)

Nid oes un balm ar ôl ond balm ein serch;
Gobaith a ffoes, a chyda gobaith, ffydd.
Pefr sêr ein nos a heuliau hy ein dydd,
Gwibiasant oll i bwll yr angau erch.
Fy nghymar coll! Pa beth a wna dy ferch,
Ynghlwm wrth wacter byd a briw'r galaru,
Ond wylo'r llwon hen a dal i'th garu?
Nid oes un balm ar ôl ond balm ein serch.

A thithau, draw o orwel aur dy nef,
Pan blygi uwch y barrau eiliw'r lloer,
A deimli bang yr ysgar? Angau a'n gwnaeth
Bob un yn fyddar i'r hiraethus lef,
Neu'n fud gan fawredd tragwyddoldeb oer:
Minnau i'r ddaear, tithau i'r nef yn gaeth.

HOMO SAPIENS[239]

Yn ôl at Dduw, yn ôl ar derfyn dydd,
Heb gŵyn y daw'r creadur syml. I'r coed
Pan ddelo trymder oed ymdreigla'r hydd,
A'r neidr i'r graig, a'r cadno ar ffwndrus droed
I'w ffau. Y ffwdan sydd yn hanfod byw,
Y lludded llym a'r frwydr a lysg bob awr,
Fe'u llwyr ddatodir oll pan alwo Duw
Y gwych a'r gwael i'w bresenoldeb mawr.

A'r chwim gynlluniwr, dyn, a fynnai ffoi
Rhag gwŷs ei Grëwr, atomeiddiodd ef
Rymoedd carlamus natur, a dat-gloi
Drysau bolltiedig tir a môr a nef.
Tywyllai yr angen pe bai modd. Ond gwaith
Nid hawdd yw'r alibi o'r olaf daith.

DE PROFUNDIS[240]

Gwelaist nesáu'r anghenfil brwnt i'w tud,
A lledu fry y palfau coch gan waed,
A'r ymerodraeth ddur a drechodd fyd
Yn chwennych Helas[241] wen yn fainc i'w thraed.
A phan oedd llongau'r Persiaid yn y bae
A glannau Marathon[242] yn gweiddi braw,
Trefnaist i'r gwan ymwared cryf o'u gwae
Drwy'r cyrff a hunodd yn y gwaedlyd faw.

Unwedd i Gymru'n awr, ar noson ddu,
Tyred, O Dduw, i nerthu'r eiddil gwan;
Achub D'allorau rhag y lloriwr hy,
A phâr i Gymru edrych tua'r lan.
Gwregysa hi â grym Dy ddwyfol farn
Rhag sathru o'r moch ei pherlau hi yn sarn.[243]

PASTYNU PECHOD

(I'r Parchedig Euros Bowen)

Pan fyddych yn pastynu pechod, frawd,
Cariad fo'n barnu. O dan y serchog sêr
Y pechod yw nacáu nos-gerddi pêr
Y nwydau syml ac yn lle anwylo'r cnawd
Ei ddarnio'n waed. Pechod yw'r gwegi a'r gwawd,
Yn rhin y Gymun ac wrth allor dêr,
Sy'n chwifio Crist ar Groes fel totem blêr;
Pechod yw'r weddi ffiaidd am arfog ffawd.

Wrth weld hidlo'r gwybedach sydd yn bwnc
Cwrdd Eglwys a disgyblaeth ddreng y saint,
Na foed yn angof y camelaidd bry
A ruthrodd heibio i'w coeth-ofalus lwnc:
Bwystfil a boera waeau, newyn, haint,
Y Satan Rhyfel, arch-bechadur hy.

Y WAWR[244]

Dinas y goron fioledau heirdd,
A'i themlau'n sythu mewn ysblander gwyn,
Anwylaf eilun crefft a moliant beirdd, –
Mor deg y cerddai'r wawr ar hyd ei bryn!
Hithau fel morwyn yn ei chyntaf oed
Ddisgwyliai'n eiddgar am anwesol law;
Rhyw gyffro yn ei bronnau mwyn a roed
A'i chalon hedai i Humetos draw,
Hyd nes yr elai'r Parthenon[245] yn dân
A fflamio o'r marmor oer ei basiwn hy.
O Haul, a noddi'r aflan fel y glân,
Anghofia bob gogoniant gwawr a fu,
A maddau i'n modernid brwnt y tro
A rydd it gusan blin ar dipiau glo.

EMYN Y SEFYLL

("Ac wedi gorffen pob peth, sefyll")

Pan fo teyrn a gwlad yn erchi
  Cefnu arnat, Iesu glân,
Yn dy nerth gad inni sefyll,
  Dyro i'r eiddil dafod tân.
    Tystion ffyddlon
Yn y llys y mynnwn fod.

Pan fo'r ddrycin ar ein llwybyr,
  Rho inni ganu odlau ffydd,
Glynu'n glir wrth reol cariad,
  Herio'r awdurdodau sydd.
    Iesu'r Arwr,
Gwna ni'n hy yn awr y praw.

Gwared ni rhag ceisio addoli
  Duw a Mamon yr un pryd;
Dod gadernid yn ein gliniau
  Fel na phlygom byth i'r byd.
    Frenin arall,
Arglwyddiaetha arnom ni!

Arwain ni, waredwr cadarn,
  I weld ynom ddwyfol lun,
Talu i Ti ac nid i Gesar,
  Parchu Duw yn fwy na dyn;
    Ceisio'n gyntaf
Holl gyfiawnder teyrnas nef.

HUMENEAD[246]

(I Pennar a Rosemarie)[247]

Arglwydd Dduw ac Arglwydd Grëwr,
  Ffynnon bywyd ym mhob man,
Rho dy fendith ar bur gariad,
  Hoen Dy wanwyn foed i'w ran.
O cysegra wrid y nwydau
  Sydd yn clymu mab a merch!
Dyro undod cnawd ac ysbryd,
  Distyll hyfryd ddiliau serch.

Wedi'r hoen pan ddelo tristwch,
  Digyfnewid fyddo rhin
Cariad sydd yn rhannu'r gwpan,
  Bydded wermod, bydded win.
Adnewydda'r nwyf ysblennydd,
  Gwyrth Dy greadigol fyw,
Tra bo dau yn caru ei gilydd,
  Tra bo dau yn caru Duw.

EMYN YR AIL-DDYFODIAD

(Cyflwynedig i'r Parch. R. S. Rogers)[248]

Gyda threigl mil o oesoedd,
 Gyda throad cudd y rhod,
Uwch y daran, uwch y dwndwr,
 Duw a'i deyrnas sydd yn dod.
Sicrach yw na chodiad heuliau,
 Tawel fel yr awel gêl;
Gwynfyd pob rhyw ras a wawriodd
 Sy'n gwarantu gras a ddêl.

Cyniweiriodd Ysbryd Iesu
 Yn garuaidd ar ei rawd;
Er pob cynllwyn, er pob malais,
 Gweithia'r lefain yn y blawd.
Teyrnas Iesu sy'n ymledu
 Yng nghalonnau pawb a'i medd;
Gweidded miloedd air y gwahodd,
 Maranatha,[249] Frenin Hedd.

EMYN Y FFOADURIAID

Mae'r miloedd yn yr anial maith
   Yn cwyno'n fawr eu cur,
Gan ddisgwyl am dy ddoniau rhydd.
   O gwrando, Iesu pur!

Hwy ydyw'r werin bobol wan,
   Di-berchen, di-ystad,
Ar ffo oddi wrth wareiddiad blin,
   Heb fugail a heb dad.

Pan gyfyd eu truenus lef
   Am angenrheidiau byw,
Am fwyd a diod, tŷ a gwaith,
   Na wrthod, O Fab Duw!

Pan lusger hwy dan aflan draed
   Llywodraeth, bonedd, teyrn,
Eu câr a'u cyfaill ydwyt ti;
   O torr eu barrau heyrn!

Gwrthodedigion trist ein byd,
   Heb waith, heb obaith mwy,
Tydi fu gynt yn porthi'r llu,
   O Arglwydd, portha hwy!

GLORIA

"Ni fedrwn ni fod yn ferthyron; er hynny, merthyron a gaed". – O emyn gan Ambrosius[250] o Milan. Bu fyw yn y bedwaredd ganrif o oed Crist.

i

Mae hil y dewrion glân
A ddaeth trwy ddŵr a thân?
Curiant yn llaid carcharau'r byd,
I Dduw y mae eu cân.
O gloria in excelsis Deo!
Nequimus esse martyres
Sed repperimus martyres.[251]

ii

Mae teulu'r Eglwys bur
A safodd gynt fel dur?
Mae eto'n ôl ei gweddill gwiw,
O'u cariad daeth eu cur.
O gloria in excelsis Deo!
Nequimus esse martyres
Sed repperimus martyres.

iii

Mae'r llu diwyro draed
Un amser gwyn a gaed?
Fe'u ceir ar Ffordd y Groes o hyd,
Llifodd y gwirion[252] waed.
O gloria in excelsis Deo!
Nequimus esse martyres
Sed repperimus martyres.

PIGION PWT

HAWLIAU DYNOL

("Rhagrith yng Nghaerdydd" – Mignedd yn *Y Faner* am Arddangosfa Pwyllgor Cymreig UNESCO)

Ffarwel i dywyllwch oesau ffôl;
Cymru yw gwlad y dydd!
Ond un hawl fechan sydd ar ôl;
Nid yw hi'n genedl rydd.

Y BARDD-ACTOR

Fel actor mae'n rhagori'n lân;
Yn wir, mae'r peth yn glefyd,
Oherwydd pan fo'n llunio cân,
Mae hynny'n actio hefyd.

DADLAITH

Gwynnaf eira'r bryniau heddiw
Dan gusan haul a dawdd cyn hir.
Pwy rydd gusan a bair doddi
Eira oer dy lendid ir?

DADLENIAETH

(I'r Parch. R. S. Rogers)

Mewn breuddwyd hir apocalyptig[253]
Mi welais ryfeddodau cryptig.

Rhyw banorama ograidd odiaeth,
Myth nodweddiadol o ddadleniaeth:

Codai lleng o dir a môr,
Yn unicornaidd waedlyd gôr.

Bu chaos megis crochan du
Yn berwi boliau dreigiau lu,

A rhif chwe chant chwe deg a chwech[254]
Yn rhoi anostyngedig sgrech.

Os dyma ffrwyth mynd trwy'r proflenni
A gwylio'r farn ar Charles a'i gwmni,

Pa fath hunllefau i ti a roes
Dadlennol ymchwiliadau oes?

CANU'N IACH

Rhoes gusan iddi'n dyner ar ei gwallt,
Y llencyn hwnnw yn Heidelberg ger y lli
Ond nid oedd ganddo fwy i ddweud na *Gute Nacht!*[255]

Wrth hebrwng cyfaill, meddai arall *Alles Gute!*[256]
Leben Sie Wohl![257] medd un; a dywed ffrind
Wrth erfyn hynt yn rhwydd i'r teithiwr, *Gute Reise!*[258]

Yng nghysgod Dôm Cwlên,[259] y fan y sïa
Afonydd dyfroedd Rhein, mi glywais air
O ffarwel gwell, gan wraig i'w chyfaill: *Grüss Marïa!*[260]

Y MANICHEAD[261]

(I Gwynfor Evans)[262]

A greffaist ar y gŵr o'r Bala
Yn ddadansoddol glir
Yn olrhain sylwedd d'apostasia[263]
I'w ffynonellau gwir?
Breuddwydiaist di, o'th fwyn ddyhead,
Dy fod ar ffordd y Galilead,
Ond dyma'r gwir, o weld y gwraidd,
Nid wyt ti'n ddim ond Manichead.

Pa lithriad rhyfedd ar dy rawd,
Pa ryw ddeuoliaeth ynfyd
A'th ddysgodd nad yw braich o gnawd
Mor bur â braich yr ysbryd?
Ha frawd, paid cam-esbonio'r cread
Sy'n gnawd ac ysbryd mewn un gwead.
Rhyfel a geidw'r cytgord pêr,
Gwahanwr erch yw'r Manichead!

PA LE 'ROEDD Y SENSOR?

(Sef gofyniad Golygydd papur enwadol wrth adolygu 'Susanna',[264] drama gan Kitchener Davies[265])

Mae'r gelfyddyd yn burion, a'r iaith yn ddi-fai
Bod yma athrylith, ni ddwedwn ddim llai.
Ond y cwestiwn sy'n taro darllenydd ac actor:
Yn enw'r holl dadau, Pa le 'roedd y Sensor?

O gôl yr Apocruff[266] daw'r stori a'i threigl –
'Does ryfedd o gwbwl nad yw yn y Beibl!
Mae dau Pharisead yn myned i'r allor;
Ond wedyn – O'r bryntwaith! Pa le 'roedd y Sensor?

Darllenais A. Huxley[267] a Lawrence[268] a Joyce,[269]
Ond rhaid tynnu'r llinell yn rhywle, wir, bois!
Cnawdolrwydd digwilydd sydd yma'n ymagor:
Yn enw'r Cyfundeb,[270] Pa le 'roedd y Sensor?

Trywenir ein gwlad gan anlladrwydd a'i fidog.
Dyna *Atgof*[271] a *Milgwyn*[272] (Och, gwraig i weinidog!)
Heb sôn am *Cwm Glo*[273] a *Monica*[274] – a rhagor;
Yn enw diweirdeb, Pa le 'roedd y Sensor?

GWAED Y MERTHYRON

(O weld dau ddyn yn cysgu ar risiau Cofgolofn y Merthyron[275] yn Rhydychen)

Pa beth a wnawn â'r merthyron?
Colofnwn eu gwrhydri glân,
Caregeiddiwn eu cadernid,
A'n beirdd a ddyry ufudd gân.
Wrth syllu ar y crefftwaith gwiw
Cawn lawer gwers a champ i'w dysgu;
Cawn beint o gwrw braf ger llaw
Ac ar risiau'r golofn fe gawn gysgu.

CYFIEITHIADAU AC ADDASIADAU

CENFIGEN

(O Saesneg J. M. Synge)[276]

Gerllaw yr Eglwys o'm hystafell glyd
Wrth weld y merched glanwedd ar y stryd
Yn tyrru o wlad a thref ar sanctaidd awr
Mi genfigennais wrth yr Arglwydd Mawr.

Ond heno wrth feddwl am f'ystafell glyd
Pan ddeui dithau yma yn dy bryd
Heb neb i weled a fo rhyngom ni,
Fe genfigenna'r Arglwydd wrthyf fi.

AR LAN YR AFON

(Efelychiad o gân werin yn Arabeg yr Aifft. Trwy law Mohamed Hasan Siereiff, o Gwfft, ger Lwcsor)

Ar lan yr afon wrth y rhyd
Y cwrddais i â'r hardd ei phryd,
Pan grwydrwn ddoe yn drist fy myd.

Fe ddeuai hi i mofyn dŵr,
A minnau yno'n eiddgar ŵr
Ar lan yr afon wrth y rhyd.

Myn Duw! Fel y chwenychais hi,
Ei bronnau llawn a'i gwallt yn ffri!
Ar lan yr afon wrth y rhyd.

Gollyngai'r piser oddi ar ei phen
A'i llygaid oedd fel sêr y nen,
Ar lan yr afon wrth y rhyd.

Wylais o hiraeth am ei chael
A'i thynnu ataf yn gariad hael
Ar lan yr afon wrth y rhyd.

Cyferchais hi â geiriau swyn,
A daeth i'm breichiau'n forwyn fwyn
Ar lan yr afon wrth y rhyd.

Cyferchais hi â geiriau swyn,
A daeth i'm breichiau'n forwyn fwyn
Ar lan yr afon wrth y rhyd.

Ond cymerth f'arian ac aeth i ffwrdd;
Gwae fi, imi erioed ei chwrdd
Ar lan yr afon wrth y rhyd.

Un ddieithr oedd i'm pobol i,
Ond dug fy nghalon gyda hi
Ar lan yr afon wrth y rhyd.

Yr Alltud

(Efelychiad o gân werin yn Arabeg yr Aifft)

Sawl noson, sawl dydd,
Y tariaf heb gwmni fy nghymar,
Heb brofi o wynfyd ei grudd?

Sawl noson, sawl dydd,
Heb danllwyth na phentan nac aelwyd,
Heb blantos na chwerthin rhydd?

Sawl noson, sawl dydd,
Mewn hiraeth am un a fu'n gyfaill,
Hen gyfaill y llwybrau cudd?

Sawl noson, sawl dydd,
O fynwes y fro sydd yn annwyl,
Yn alltud ar grwydyr prudd?

BEICHIOGI

(O Almaeneg Hans Carossa)[277]

Atom fyth daw eneidiau heb eu geni
Pan anadlwn fron wrth fron,
Chwilio y maent am fywyd, am rieni
Ar benllanw'r anwes hon.

Chwerthin, cusan, rhysedd rhydd y nwydau,
Dall, diflino tan y wawr!
Geilw'r bore ddydd i arall hoenau;
Deffry'r newydd fod yn awr.

A gall llygad edrych i fyw llygad.
Ynom beth yw'r dechrau sydd?
Mynn haul newydd gennym ni addefiad:
A gefnogwn ni ei ddydd?

CLOD I DDYNION

(O Almaeneg Hölderlin)[278]

Onid santaidd fy mron, llawn o harddwch byw
Er pan gerais? Paham y rhoisoch imi barch
    Yn fy malchder a'm gwyllt nwyd,
    Pan oedd amlach fy ngair a gwag?

Och fi! Pleser y dorf yw'r hyn sy'n sioe ar werth,
Ac ni cheir gan y caeth barch ond i'r lordyn cryf.
    Nid oes a gred y dwyfol
    Ond y neb sy ddwyfol ei hun.

ADREF

(O Almaeneg Hölderlin)

Llon y daw'r morwr adref tua'r dyfroedd clyd
O bell ynysoedd lle bu'n medi ffrwyth.
  Mi garwn innau hefyd ddychwel adref,
  Ond pa beth a fedais namyn poen?

O lannau puraidd a fu'n fy meithrin gynt!
A fedrwch leddfu poenau serch? A rowch i mi,
  Goedydd fy mebyd, pan ddof yn ôl,
  Ryw heddwch eto dan fy mron?

CÂN Y CYNHAEAF

(O Almaeneg Richard Dehmel)[279]

Rhyw faes y sydd o euraid ŷd
Yn estyn hyd at ben draw'r byd,
Mâl, felin, mâl!

O'r eang dir y gwynt a ffy,
Ar y gorwel saif melinau lu.
Mâl, felin, mâl!

Tywyll yw'r machlud ar ei rawd,
Bara yw cri myrddiynau tlawd.
Mâl, felin, mâl!

Cymer y nos y storm i'w bron,
Yfory eir ati â'r dasg hon.
Mâl, felin, mâl!

Y storm a ylch y caeau'n lân,
Mwy mi rydd newyn ingol gân.
Mâl, felin, mâl!

Cariad Pur

("Treue Liebe": Cân Werin Almaeneg)

A drefnwyd modd i mi,
Fy mun, dy adael di?
Caraf di'n fythol bur,
    Cymer fy ngair.
Mae f'enaid i ar dân,
Enillaist ef yn lân,
Ni charaf arall un
    Ond ti, fy mun.

Mae blodyn glas ei liw,
Na-ad-fi'n-angof gwiw,
Dod ef yn nwfn dy fron
    A chofia fi!
Os ffydd a gobaith ffy,
Cawn serch yn olud cu.
Fy serch ni dderfydd byth,
    Cymer fy ngair.

Nos-gerdd y Crwydryn

(O Almaeneg Goethe)[280]

Dros y bryniau oll
Mae hedd,
Yn y brigau oll
Teimli ba wedd
Na cheir prin si;
Distawa'r adar bach yn y coed ir.
Aros dro; cyn hir
Daw hedd hefyd i ti.

HYDREF

(O Almaeneg Rainer Maria Rilke)[281]

Mae'r dail yn cwympo, fel o bell,
O erddi a wywa yn y nen;
Wrth gwympo, symud wnânt eu pen
I wrthod. Ni cheir tynged well

I'r ddaear drom ar noson glaer:
Yn yr unigrwydd cwymp o'r sêr.
Fe gwympwn oll, er byw yn bêr;
Fy llaw, hi gwymp, er ymbil taer,

A'r holl gyfanfyd, yn ddi-daw
Mae'n cwympo. Ond er hyn mae Un,
Yn fythol dyner, bythol gun,
A ddeil bob codwm yn ei law.

LEBENSWEG[282]

(O Almaeneg Münchhausen)[283]

Tua thydi y bu fy hynt o hyd
    Yn gyson, glir: fel uwch y ddaear ir
Y ffodd y glomen o gaethiwed mud
    Yn ôl i'w chartref mwyn mewn Deau dir.

A phan ddaw cof am y tymhestloedd gynt
    A'm hiengoed mewn crwydriadau heb eu rhi',
Gwelaf yn awr: yn hyn i gyd fy hynt
    Oedd gadarn ffordd ddiwyro atat ti.

Y GŴR A FLINODD AR FYW

(O'r Hen Eiffteg mewn papuros tua 1900 C.C.)[284]

Mae angen i'm bryd heddiw
 fel adferiad gŵr a fu'n glaf,
 fel cerdded o gwmpas wedi adfyd.

Mae angau i'm bryd heddiw
 fel aroglau'r mur,
 fel eistedd dan gysgod ar ddiwrnod gwyntog.

Mae angau i'm bryd heddiw
 fel aroglau blodau lotos,
 fel eistedd ar lan y fro frwysg.

Mae angau i'm bryd heddiw
 fel gostegu o'r storm,
 fel pan ddelo gŵr o ryfel yn ôl adref.

Mae angau i'm bryd heddiw
 fel tynnu llenni'r nef,
 fel dyn a ddenir gan yr hyn nas gŵyr.

Mae angau i'm bryd heddiw
 fel pan hiraetho dyn am weld ei gartref eto
 wedi treulio maith flynyddoedd
 pryd y daliwyd ef yn gaeth.

Galwad i Ginio

(O Ladin Catullus)[285]

Cenabis bene, mi Fabulle, apud me

Cei wledd o ginio, Rhydwen,[286] gyda hyn,
Wrth fwrdd fy aelwyd lon, os Duw a'i myn;
Os gyda thi y gelli ddod â – wel,
Rhyw glamp o ginio gwych a geneth ddel,
A gwin, a geiriau ffraeth, a gwên ddi-gŵyn.
Os gelli ddod â'r rhain, fy nghyfaill mwyn,
Cei wledd o ginio; canys pwrs dy fardd
Sydd heddiw'n llawn o weoedd-corryn hardd.
Ond fe gei dithau serch di-drai yn wledd,
Neu rywbeth glanach eto i'r sawl a'i medd:
Rhof iti'r persawr drud a gadd fy mun
Yn rhodd gan Gwpid[287] a Fenws[288] ei hun.
O'i arogleuo gelwi'n ddwys dy fryd
Ar Dduw i'th wneuthur di yn drwyn i gyd.

Wrth Farw

(O Ladin Hadrian)[289]

A f'enaid bach, hoff grwydryn tlawd,
Di westai'r corff a chymar cnawd,
Yn awr i ba le'r ei-di?
Y bychan gwelw, crynedig, noeth.
Beth ddaw o'r hen ddireidi?

Rhosyn ar y Gweunydd

(O Almaeneg Goethe)

Gwelodd bachgen rosyn ir,
  Rhosyn ar y gweunydd;
Pefriai dawn ei degwch gwir,
Rhedodd ef i'w weld yn glir,
  Syllodd mewn llawenydd.
Rhosyn, rhosyn, rhosyn coch,
  Rhosyn ar y gweunydd.

Meddai'r llanc, "Fe'th dynnaf di,
  Rosyn ar y gweunydd!"
Meddai'r rhosyn, "Pigaf di,
Byth ti gei fy nghofio i,
  Chwarddaf innau beunydd."
Rhosyn, rhosyn, rhosyn coch,
  Rhosyn ar y gweunydd.

Tynnu wnaeth y bachgen hy
  Y rhosyn ar y gweunydd;
Troes y rhosyn, pigai'n gry',
Ond ni thyciai dagrau lu,
  Gwaedai'n llaw y llofrudd.
Rhosyn, rhosyn, rhosyn coch,
  Rhosyn ar y gweunydd.

O'R FLODEUGERDD ROEG

DIONUSIOS SOFFYDD[290]

Gwerthu rhosynnau

Ti ferch â'r rhosynnau, rhosynnau dy bryd!
Ond pa beth a werthi'n daer?
Dy hun neu'r rhosynnau? Neu'r ddau ynghyd?

MELEAGROS[291]

Mordaith serch

Asclepias,[292] hoff o gariad, luniaidd ferch,
A'i llygaid gleision pur fel hindda ar fôr
A huda bawb i fentro mordaith serch.

Y blodau gwyw

Am eurwallt Heulwen, glaer ei llun
    Mae'r goron flodau'n wyw.
Ond O ei llewych hi ei hun!
    Blodeuyn y blodau yw.

DAU EPIGRAM GAN PLATON[293]

Gwylio'r sêr

Fy seren, sylli ar y sêr,
    Y nef O na bawn i!
Er mwyn cael mil o lygaid têr
    I edrych arnat ti.

Yr awenau

Rhyw naw o Awenau sydd, medd rhai,
Ond yn y cyfrif maent ar fai:
Saffo[294] o Lesbos a'i dwyfol gân,
Hi ydyw'r ddegfed Awen lân.

DIOSCORIDES[295]

Tân Caer Droea

Hi ganai am farch y Groegiaid gynt, och fi!
Llosgai Ilios[296] – a minnau o'i chariad hi,
Heb ofni'r dengmlwydd drud. Mewn fflam gytûn
Darfu am holl wŷr Troea a mi fy hun.

CERDDI CAIRO

(Y Lolfa, Talybont, 1969)

Ysgrifennwyd y cerddi hyn i gyd yn yr Aifft, 1965-66, pan oedd J. Gwyn Griffiths yn Athro Gwadd yn y Clasuron ac Eiffteg ym Mhrifysgol Cairo. Treuliodd y rhan fwyaf o'i amser yno yn Cairo, ond bu hefyd ar sawl taith, a threulio pythefnos yn nhŷ archeolegwyr yr Almaen ar lan ddwyreiniol afon Nil ger pentref Qurna, yr ochr draw i Lwcsor (yr hen Thebae), yn ymyl Dyffryn y Brenhinoedd a'r Breninesau.

Mae'r cerddi'n ymwneud â'r Aifft yn bennaf, a gwelir yma ddehongliadau o hanes brenhinoedd yr Aifft wedi eu seilio ar ei wybodaeth drylwyr. Mae myfyrio ar gyflwr Cymru a'r Gymraeg yn amlwg yn nifer ohonynt.

Digwyddiad trist yn ystod eu cyfnod yno oedd marwolaeth Fritz, brawd Kate. Bu ef yn garcharor yn ystod yr Ail Ryfel Byd.

Enillodd y gyfrol hon wobr am gyfrol o gerddi gan Gyngor Celfyddydau Cymru.

ITNÊN (DAU)

Mae dau yn codi'r cwpan ir
A dau yn rhodio'r sanctaidd dir.

Rhai dragomanwyr[297] doeth sy ar gael
Ond gwell yw cymorth cymar hael.

Dehongla rin Arabeg traed-y-brain[298]
A neges hieroglyffau mawr a main.

Yn Heliopolis[299] a Mitrahina[300]
Ni phall ei sêl, chwilfrydedd hon ni flina.

Ger glasdon Alecsandria mae'n llon
A chwardd lle lleda'r tywod don ar don.

Y gân ar wefus gwerin, hon a'i clyw,
Pob nâd gan gamel, clochdar pob rhyw gyw.

Os dwfn fel dagr i fynwes lân
Yw coch y machludoedd yn Aswân,

Dyfnach yw'r serch a bery tra bo dau
Yn cyd-rodianna'r hanesyddol bau.

Y MIS SANCTAIDD

Heb hawl i lyncu poeryn, ympryd llwyr
o godiad haul hyd at ei fachlud
yw'r drefn yn Ramadân.
Dim ysmygu, dim gwydraid o'r te mintys,
heb sôn am fowlen o ffa neu wy.
Cans dyma'r mis y rhoed i'r Proffwyd gynt
y pêr ddatguddiad o'r Ysgrythur lân,
y Cwrân ei hun,
a'i sgythru ar ddail palmwydd.

Dechreuodd eleni'n sydyn.
Rhaid gweld y lleuad newydd gyda'r nos
cyn cyhoeddi agor o'r mis.
Neithiwr doedd dim argoel amdani
yng Nghairo ei hun, er disgwyl ei gweld.
Ond am naw dyma neges sydyn o Säwdi Arabia:
MAE'R LLEUAD NEWYDD WEDI DOD
I'N FFURFAFEN NI
(yn swil, yn betrus, ond yn glir).
Cyhoedder felly o Bacistân i Dwnisia
ddechreuad Ramadân.
Goleuer y myrdd minaredau!

Clywsom y tawelwch yn hofran
o stryd i stryd.
Pob caffe'n wag, neu ynddo haid
o wŷr pen-isel
yn gwrthod y fasnach frwd arferol
a'r cownter yn fud.
Dyma'r drysor, y *bawab*[301] du,
yn plygu ger ei ddôr gan ddarllen
adnodau'n ddwys.
Un arall sy'n dodi dwylo ar ei fol
i arwyddo poen ei wacter.

Mor euog y teimlwn ym Mharc y Zŵ
yn llyncu brechdanau rhwng darlithiau
a phawb yn syllu'n syn wrth fynd heibio
a'r myfyrwyr yn cenfigennu
wrth fy stad stwmog-foddhaus.
(Maen nhw'n diolch yr un pryd
fod y ddarlith i orffen yn gynt.)

Ond wedi pump, a'r machlud wedi dod,
mae'r cannon mawr yn saethu caniatâd
i fwyta eto.
Gwelsom un wrth fwrdd bach crwn
o flaen ei siop
gyda thri o'i blant,
y bara'n barod yn y canol
a'r te yn disgwyl hefyd.
Pan ddaeth y ffrwydrad tasgodd gwên
i'w lygaid. Nawr te, blant,
Hai ati!
Pan ddaw'r wawr â'r haul yn ôl
rhaid eto ymatal.

Gŵyl Geni'r Crist a chofio dwyfol ras
yr Ymgnawdoliad
sy'n digwydd bod yn ymyl.
Rhaid addef mai ein hateb ni
yw ymroi i loddesta –
Saturnalia[302] yn enw Baban y Preseb.
Ydyw, mae'r traddodiad yn wahanol.

WRTH I'R NOS

Wrth i'r nos ddod i lawr mor sydyn
heb fawr egwyl
i synnu at y bysedd swyn-gyfareddol
yn plethu blodau ar sgarlad arch y dydd,
i glust-ymwrando
ar y suon sy'n siglo'r palmwydd
ger Tŵr yr Eryr yn y Brifysgol,
fel rhin y llafarganu gynt a fu
yn selio anfarwoldeb ar wyneb teyrn
yn y pyramidiau sy'n Saqqara,[303]
heb saib i sylwi'n fanwl
ar banorama fioledaidd fry
sy'n troi'r ffurfafen
yn garped i Harŵn el-Rashîd,[304]
gan addo mil a mwy o Nosau Arabia,
heb sôn am yr isel gân
sy'n dod o fad unig ar Afon Nil,
fel pe bai rhywun yn wylo o gariad;
wrth i'r nos ddod i lawr fel hyn
mae 'nghalon ar chwâl, yn chwil,
dan sadrwydd y gwawl neon.

YR HEN IAITH

(mewn eglwys yn Hen Gairo)

Ar gerrig caer Rufeinig codwyd eglwys hy
a galwn hon yr Eglwys sy'n Hongian,
el Kenisa el Mo'allaqa,
am ei bod yn hongian ar y gaer.
Roedd offeiriad y Coptiaid[305] yn huawdl.
A pha mor hen yw hi felly?
Gwenodd o'i farf frithlwyd:
Dechreuodd yn y bedwaredd ganrif,

fe'i tynnwyd i lawr yn y nawfed,
a'i chodi eto;
hi yw'r hynaf yn yr Aifft
o holl eglwysi cred.

A oes addoli ynddi o hyd?
Gellwch fentro bod!
Dyma eneth sy'n cael ei dysgu heddiw
i ddod yn aelod;
a dacw ferch, wrth y drws,
sy'n disgwyl rhoddi cyffes.
Edmygem, gyda hyn, y drysau cerfiedig,
yr eboni, yr ifori, y pileri nadd,
a'r symledd cadarn.

Beth am yr iaith? A yw'r hen iaith yn fyw?
Wel, ydyw, a nag yw.
Hi yw aer yr heniaith wreiddiol,
a gwelwch yma ein Llyfr Gweddi:
mae Copteg ynddi ac Arabeg hefyd.
Arabeg a siaredir heddiw,
mewn Arabeg y byddwn yn pregethu:
ond byddwn yn dal i ddarllen
rhai llithiau yn y Gopteg hen
er clod i'r traddodiad hir.
Ni chaiff hyn fod yng Nghymru,
ymsoniwn i.
Ac eto, wrth oedi ger y drws
am ennyd oer
cyn cyrraedd yr haul eto
fe gofiais rym y concwerwr.
Ai crair o'r cyn-oesau fydd y Gymraeg,
ai adlais o feddau'r tadau,
ai cyfrwng ambell lith mewn capel penwyn?
Na,
nid yw'n rhy hwyr o gofio'r serch y sydd.
Ceir concwest ar goncwerwr
mewn newydd ddydd.

Y DAGRAU DRUD

(adeg marwolaeth Friedrich Bosse)[306]

Tair munud o deleffonio o Gairo i Lübbecke,
o'r Aifft i Ogledd yr Almaen,
fe gostiodd bedair punt.

Wylodd dwy ferch eu dagrau,
am golli gŵr a cholli brawd,
am syrthio o'r cadarn yn sydyn,
am suddo o'r siriol,
y dagrau drud.

Bu unwaith gyda ni yng Nghymru
yn awchus ffroeni môr a mynydd,
yn astudio ffermydd a'u hoffer yn Llanddarog,
yn hamddena'n groes i'w arfer.
Noswyl Nadolig y darfu,
Heilige Abend,[307]
a ninnau'n dau yn yr Eglwys Lutheraidd,
minnau'n canu i'r *Kinderlein,*[308]
hithau'n fud o *Sehnsucht*[309] am ei henfro.
Yn ei mudandod ffarweliodd ef,
diffoddodd yr egni rhuddgoch.

Nadolig Llawen a Blwyddyn Newydd Dda!
Ni bu'n llawen i bawb,
ac i rai bydd blwyddyn unig
hebddo fe.

YR HUDOL AWR

(Corniche el-Nil,[310] ar lan yr afon, 5 Ionor 1966)

Hi ddaeth, yr hudol awr.

Ar y lan ddirgel draw mae palmwydd a thamarisg

yn swatio'n silwetaidd
yn erbyn y gorwel sydd eto'n llosgi'n dawel
er cilio o'r Aten;[311]
uchelfrig yw Tŵr Cairo
ond peidiodd ei drem ffroenfalch.
Peidiodd hefyd holl ffair a ffrwtian y strydoedd,
y sgrech-werthu a'r hwtian –
mae'r ffyddlon yn gloddesta o'r golwg
wedi ympryd y dydd.

Hen afon, hen goed,
hen seren unig fry,
i gyhoeddi'r Noson Lawen,
cawsant afael ar y tangnef gynt
a gwasgu ennyd ryfeddol fwyn
o law'r cymhelri.
Hithau'r ffelwca[312] fach, cartrefol yw
yn ymyl yr *Isis*[313] grand
lle ciniawa'r cefnog ar y dŵr;
yn wahanol i'r dduwies
un fawr ei rhodres yw hi,
fel pe bai'r afon fawr yn perthyn iddi
a'r sglein sidangoch ar ambell don
yn dod i'w difyrru hi.
Ac mae hi'n beiddio edrych, efallai,
i gyfeiriad yr obelisg[314] balch
ar y lan arall –
un arall o golofnau Ramesses[315] yr Ail,
sy'n coloseiddio'i gof drwy'r Aifft gyfan.
A mwyn yw'r lampau ar y minaredau,
symbolau gweddi a mawl.
Ond eisoes gwelaf fflachiadau
mwy rhwysgfawr;
daw'r hysbysebion neon ar y tyrau mawr,
a chlywaf ail-ddechrau rhu
y traffig ar Bont Tahrîr.

Yr hudol awr, hi aeth.

ATARACSÏA[316]

Yn fuan wedi glanio daeth y gair
i ti, yn ddoeth, yn Alecsandria,
a'r haul torrid yn taro,
Habîbi, ma-lêsh!
Hidia befo, câr!
Cymer hi'n araf.

Mae llawer wedi pwno'r wers
i galonnau ffwdanllyd, ffôl.
Os yw'r tocyn toll ar goll
a'r trefniadau'n draed moch
– heb fod dim bai ar neb –
a'r dyrfa sgrechlyd yn ymladd am dy bres,
wel, dos ymlaen, di ffwrn o dân:
mae pwll clir oer o dan y fron o hyd.

Hwyrach fod y peth yn dibynnu
ar y glandiau
ar wasgiad y gwaed
ar stâd y nerfau.
Ond trech yw'r meddwl pur,
yr hanfod dwfn anghyffwrdd,
y diderfysg ego cudd.

Dyna, ond odid, wedd y Tao[317] llyfn,
ac ataracsïa'r Epicwreaid,[318]
dyna gred Horas gynt:
Aequam memento rebus in arduis
servare mentem.[319]

A'r un a ddywedodd
Na thralloder eich calon,[320]
Nac ofnwch, Na ofelwch,
mae'n rhoddi'r hedd
am iddo ei feddu ei hun
a dal ynddo yn ddi-baid
mewn gardd, dan gabl, ar groes.

BETH YW'R MAT DDA?

(mewn stryd yng Nghairo)

Yn enw rheswm a synnwyr cyffredin
beth yw'r mat dda
wedi ei daenu'n daclus ar gornel palmant
a'i sgubo'n lân
er bod popeth o gwmpas yn ddigon aflêr
rhwng sbwriel a phapurach a sglodion
heb anghofio tom anifeiliaid
ac olion cachaduriaid dynol
lle brefa'r asyn di-ludded
lle cerdda camelod a defaid
yng nghanol dinas fawr?
Yn wir beth yw pwrpas y mat
sy'n ynys o lendid mewn môr o lanast?

Doedd dim rhaid aros yn hir am olau.
Pan ddeuthum yn ôl yr un ffordd
ymhen hanner awr
roedd Cwrdd Gweddi ar y mat.
Deunaw wedi diosg eu sgidiau
yn sefyll a phenlinio mewn tair rhes
y blaenaf yn isel lafarganu
y pennau'n plygu'n sydyn
nes bod pob corun yn gydwastad â'r llawr.

Er bod bedd Shêch Hamza gyferbyn
(gŵr duwiol iawn oedd ef)
doedd y traffig ddim yn pallu
na'r llu yn malio lleuen.
Ond ymlaen yr aeth y Cwrdd Gweddi
gan gyfarch yr Unig Wir Dduw
y Tosturiol a'r Trugarog.
Duw yn unig sydd fawr;
gwybydded pob cnawd y gwir.

Peth eitha buddiol yw mat
ond dyma'r tro cyntaf imi ei weld
yn llunio llwybyr
o'r carthion at y gwychderau fry
o'r sothach at y sêr, fel carped swyn
yn hedfan o'r naill fyd i'r llall.

DEWISWN GADW DRWS

(4 Sharia Hussein el-Memar, Antichana, Cairo)

Cawr croenddu o Nwbia ydyw'r *Bawab,*
y drysor mwyn,
di-ffael ei wên fel heuliau'n gwawrio,
a honno'n wên ddiddichell
lawn o ddannedd gwynion.
Cyflym ei gymwynas a di-lol.

Os tagodd piben ddŵr, mae gair i'r *Bawab*
yn dwyn y plymwr at eich drws
cyn pen pum munud.
Os pallodd y golau trydan
(ac nid drwy fethiant cyffredinol)
rhown air i'r *Bawab, Ia Raïs...*
ac mewn wincad llygad llo
mae'r trydanwr a'i grwt wedi cyrraedd.

Er gofalu am floc enfawr o fflatiau
gan gynnwys dirgel symudiadau'r lifft,
cyfyng yw cell y *Bawab* ei hun.
Cyfyng hefyd yw'r gofod ger ei ddrws preifat
ar waelod y grisiau,
ond nid rhy gyfyng i blygu'r corff hir
i holl ystumiau gweddi.
Prysur yw'r *Bawab* yn ateb llu o alwadau
ond nid yw byth yn rhy brysur
i ateb galwad y nef.

DIM OND CROESI

Dim ond croesi gyda'n gilydd a wnaethom
o'r naill lan i'r llall
yn foreol frwd,
o'r Gorllewin i'r Dwyrain,
o ddinas y meirw i ddinas y byw,
o Qurna[321] i Lwcsor[322]
a symud ysgafn y don odanom.

Roeddet ti'n llwythog
ac yn llawn prysurdeb gyda'th ffon,
eto'n dawel yn y dorf ffwdanllyd ar y llong,
yn pwyso a mesur yr Ewropëaid od
gan grychu aeliau duon
dan y twrban gwyn.
Minnau'n bêr fy myd
a'm cariad gennyf
wedi cyd-flasu a chyd-foli
gwleddoedd lliwgar Dyffryn y Brenhinoedd,
yn awr yn hwylio eto
i weld temlau a phulonau[323]
a duwiau a daemoniaid
ac obelisgau a stelau
a rhodfa'r Hyrddod Sanctaidd[324]
ac i yfed awyr ir meysydd Nil
fel y sudd ceirios coch neithiwr.

Dau wahanol ydym
a daethom at ein gilydd o ddau fyd
am fod rhaid croesi'r afon, dyna'i gyd,
Taith deng munud.
Ma salâm, habîbi!
Yn iach iti, gyfaill!
Dyma'r llong yn arafu
a'r asynnod a'r ceffylau a'r tacsïod
yn disgwyl ar y lan.
Bu'n seiat fer ddi-eiriau ar y fferi
ac ni chawn gwrdd
tan y Seiat Fawr Fry.

HANNER CARU

("Halb-Liebe ist keine Liebe; und keine Liebe ist Hass." –
Y Parch. Gottfried Hiddeman yn Eglwys Lutheraidd Cairo,
13 Chwefror 1966.)

Nid cariad yw hanner caru,
nid yw hanner caru yn gariad o gwbwl;
a phan na cheir cariad o gwbwl,
casineb yw hynny.

Dyna hanes ein hymwneud â Chymru.
Ar lannau Nil lle mae crud yr hil
a wareiddiwyd gyntaf (o bosibl)
ceir heddiw argoelion
y cariad llawn
a ffrwythau rhyddid weithiau'n bêr.

Hanner caru a wnaeth ein tadau.
Pan oedd eu capelau'n llawn
a sôn am Gymru Fydd ac am ryddid
i wledydd eraill
roedd Cymru'n isel ar y rhestr.
Ceid ambell loddest wladgarol
mewn Eisteddfod a gwyliau Cymrodorol
ond ni pharhaodd blas y wledd yn hir.
Rhetoreg hwyliog yr areithiau Rhyddfrydol
hawliau CYMRAEG YR AELWYD[325]
(nid oedd hi'n ddigon da
i fod yn gyfrwng dysg)
baldordd bocsachus arweinwyr addysg:
lle nad oedd twyll plaen
hanner caru a fu.

Ni wnaethom ninnau fawr yn well
er cael gweledIad cliriach.
Gwelsom yr angen a phennwyd y nod:
os yw hi'n haeddu serch

mae'n haeddu bod yn genedl gyflawn
yn rhodio'n rhydd ymysg cenhedloedd byd.
Buom yn eitha prysur yn mynd o dŷ i dŷ
yn gofyn pleidlais
yn gwerthu'r DDRAIG a'r NATION[326]
yn gweiddi ar gornelau poblog
(heb help corn siarad)
yn sgwâr Treforys
ac yng Ngwaun-Cae-Gurwen;
buom yn gorymdeithio'n hir
yn eistedd ar y ffordd yn Nhrawsfynydd[327]
i rwystro lorïau byddin estron;
buom yn torri deddfau'r Sais
yn gwrthod talu am drwydded radio
yn cyhwfan y Ddraig mewn llysoedd
yn trefnu rhaglenni radio
anghyfreithlon.[328]

Rhaid cyfaddef, er y poen a'r llafur,
doedd hi ddim yn faich ofnadwy.
Roedd y cyfri'n eitha gofalus
a blodeuodd llawer gyrfa fydol
yn y cyfamser.

Bu rhai yn ddewrach, yn garwyr llwyrach.
Bu ambell un fel Gwynfor
a Kitchener a D.J.[329]
yn rhoi Cymru'n gyntaf eu hunain
cyn gofyn am hynny fel polisi.
Ond y rhelyw ohonom,
hanner caru yr oeddem;
a dyna pam, erbyn hyn,
y rhewodd cariad yn gasineb
yng nghalon rhai,
ac nid yw Cymru fach o hyd
ond hanner cenedl.

O DAN Y BLODAU

O dan y blodau gwelais hi yn noeth
yn yfed y pelydrau twym i'w chorff.
Coch sgarlad a melynwawr oedd y fflur
yn saethu lliw i'r llygaid
yn ymrodresa fel y ferch o Denderah[330]
a ffrog fflamgoch o dan y twnig du.
Hithau'n ymwineuo fel cneuen aeddfed
a'i llygaid yn llawn syndod.

Ffug oedd y blodau; yntau Badri
a sblasiodd y paent ar y pren hwyrach
a rhoi'r sioe i hongian uwch y soffa
ger ffenest y balcon.
Ond nid ffug oedd ein serch;
o dan y blodau roedd yn ffaith
o gnawd ac ysbryd
ou monon logw alla kai ergw.[331]

CUDYN O'I GWALLT

(Gwelwyd yn Deir es-Suriani, Mynachlog y Suriaid,
yn y Wadi Natrŵn, y fro lle cychwynnodd y mudiad mynachaidd
Cristnogol.)

Yn Eglwys Mynachlog y Suriaid
mae creiriau ac arferion hynod;
mewn cell yn ymyl cedwir llawysgrifau Surieg
o'r Hen Destament,
yr hynaf o'u bath yn y byd:
ânt yn ôl i'r bedwaredd ganrif.

Ar sgrin mawr yr Eglwys mae panelau
a berffeithiodd yn fore
y gelfyddyd haniaethol bur.
Drwy'r cyfan mae llun y Groes yn gwau.
Lle mae hi'n ddarnau digyswllt,
dyna'r Eglwys ar wahân;
lle mae hi'n ddarnau cyferbynedig
o hyd yn doredig,
dyna'r byd ar ddisberod gan gasineb;
eithr yn y panel olaf
mae'r Groes eto yn y canol
yn dywysogaidd dangnefeddus
a phopeth arall mewn trefn yr un fath.
(Meddai mynach wrthym,
Bydd hyd yn oed yr Israel golledig
wedi dod yn ôl i'r gorlan,
a'r Moslemiaid hyf hwythau gyda'r Bugail Da.)

Mewn cornel arall gwelsom symbol i'n swyno:
pentwr mawr megis o dywod
ac o'i ganol yn glaer
y Groes yn ymgodi.
Ai Bryn Calfaria yw hwn tybed?
Wrth nesáu a chraffu'n well
gwelsom mai tywysennau ŷd oedd y tywod
a'r Groes yn eu noddi

megis y bu'r Crist gynt –
Bendithiaist goed y meysydd
O'r brigau hyd y gwraidd;
Porthaist y pum mil gwerin
Â'r pum torth bara haidd.[332]

Gwelsom y gell lle bu Amba Bishoi[333]
yn clymu ei wallt wrth gordyn fry
nes iddo gael ysgytiad
bob tro y byddai'n hepian
wrth ei ysbrydol dasg.
Creulon wrth hunan oedd y mynachod mawr,
teyrngar i Grist,
taer yn ymwadu â'r cnawd.

Crair rhyfeddach, o dan rubanau cochlyd,
mewn cist uwch stondin bren,
oedd y CUDYN O'I GWALLT,
sef gwallt Mair Magdalen.
Y gwallt a fu'n sychu ei ben
pan lifodd yr olew a'r dagrau,
y gwallt a droes o welyau anniwair
i ffyrdd gerwin y gwyliadwriaethau
wrth y Groes ac yn yr Ardd.

Lle od yw hwn.
Does dim merch ar gyfyl y lle,
dim ond mynachod du eu barf a'u gwisg.
Y merched a ddaeth gyda ni
(o Iwgoslafia a Chymru),
does dim hawl iddyn nhw droedio
i'r cysegr mewnol
hyd yn oed wedi tynnu eu sgidiau.
Eto yma fe hanner addolir
CUDYN O WALLT merch!
Rwy'n gweld rhyw reswm hefyd
wrth gofio'r ffyddlondeb yn yr anialwch deir,
a'r parodrwydd i weiddi Rabboni![334]

Y WYRTH O ABERGWAUN

(Wedi clywed bod y Dr. D. J. Williams, Abergwaun,
wedi cyfrannu dwy fil o bunnoedd i Blaid Cymru,
sef yr arian a gafodd o werthu'r "Hen Dŷ Ffarm")[335]

Fel arfer bydd dynion wrth fynd yn hen
yn crafangu'n dynnach
yn becso nad yw'r banc ddim yn ddigon saff
i warchod eu harian;
yn cyfrif ac ail-gyfrif
yn mesur y pensiwn wrth y costau uwch.

Mae eithriad yn Aber-gwaun:
mae henwr yno a daflodd bopeth
i gronfa rhyddid ei genedl;
er byw ar bensiwn
estynnodd ei ddwyfil i Gymru
o gariad, o gyd-egni gweddigar.
Elw yr "Hen Dŷ Ffarm" yw hwn:
y symbol llachar
o draddodiad y tiroedd taer a fu
yn swcro brwydyr y Gymru fydd.

Mae henwr yn Aber-gwaun
a wrthododd heneiddio.
Mae Cymru o'i daear ir
yn ei gadw'n fythol ifanc
i ymladd drosti.

ACHENATEN[336] A NEFFERTITI

(Ymweliad â Tell el-Amarna)

O'r caeau draw dôi sawr y meillion
neu flodau jasmin, neu ffa o bosib –
beth bynnag oedd,
ffrydiai'r ffroenau â phleser
wrth inni nesáu at olion y plasty mawr,
Kasr el-Melek yn ôl y dyn sy'n gyrru'r asyn,
Plasty'r Brenin – y Brenin Achenaten.
Mae'n weddus iawn, yr ymbleseru hwn,
oherwydd yma yr anadlwyd yr Efengyl Olau,
a bu chwaon yn chwythu'n heriol fwyn
o galon heretig y gweledydd.
Un Duw, un ffydd a fynnai ef,
mewn byd lle addolid myrdd,
a'r Duw hwnnw, yr Aten,
yn tywynnu'n rasol ar wledydd yr holl fyd.

Charisma'r chwyldro pur,
mae yma i'w ffroeni'n feddwol iawn;
y pelydrau sy'n gorffen mewn dwylo cariadus,
maent yma i'w teimlo
yn anwylo grudd a grawn
ag anwes heulog nef.

Nid oedd yn garuaidd i edrych arno
mwy na Socrates[337] neu Bawl[338] neu Iesu Jacob Epstein,[339]
ond cariad oedd ei fodd a'i fyw.
Mae'r teulu'n hapus gyda ni o hyd
mewn dwsinau o luniau;
a dyma ninnau hefyd ein dau
a'r ddau asyn yn mynnu cydredeg
yn agos, agos, wddf wrth wddf,
er bod ein plant ymhell.

Mimah Griffiths (Davies gynt), mam JGG, yma'n dal Robat, ei fab

Robert Griffiths, tad JGG, gweinidog Moreia, Pentre, Y Rhondda

Teulu Robert Griffiths yn y Rhos. Yr ail o'r chwith, rhes gefn, yw Robert Griffiths. Ei frawd, John, yw'r cyntaf ar y chwith. Daeth yn bennaeth Coleg y Bedyddwyr, Caerdydd.

Käthe Bosse a JGG ar ddiwrnod eu priodas, 13 Medi 1939, Pontypridd

Ar daith i Karlshamn, Sweden, lle'r oedd cartref Günther, brawd Käthe, 1954

JGG a Käthe gyda'u dab fab, Robat a Heini, yn Abertawe tua 1953

Protest Plaid Cymru yn Nhrawsfynydd, 1948, yn erbyn cynlluniau'r Swyddfa Ryfel. Mae JGG yn y rhes flaen, ar y chwith i D J Williams.

Cyfarfod o Bleidwyr Abertawe yn y chwedegau. JGG yw'r trydydd o'r chwith yn y rhes ganol. Ar y dde iddo mae Jac Harris, Clydach. Eraill: Meurig Llywelyn, Llywelyn Davies, Llew Jones, Margaret Williams, Rita Morgan (Williams), Wynne Samuel, Tom Concannon.

Cyfarfod o swyddogion UCAC tua 1950. Saif JGG yng nghanol y llun; ar y chwith eithaf y mae Waldo Williams.

JGG: protread tua 1980

O flaen Brynhyfryd, cartref y teulu yn y Rhondda; hefyd yn y llun mae Augusta, chwaer JGG, a dau o'i wyrion, Nona a Gwydion

Käthe a JGG, wedi eu hurddo â'r wisg wen

Käthe a JGG o flaen y Parthenon, Athen

JGG ger mynydd Sinai

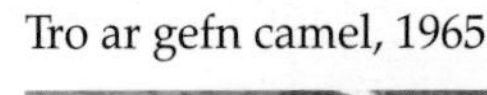

Tro ar gefn camel, 1965

JGG gyda'i frawd, Gwilym, a fu'n brifathro mewn nifer o ysgolion yn y gogledd

D R Griffiths, brawd JGG, gyda'i gyfrol *Defosiwn a Direidi*

JGG gyda dwy
o'i wyresau,
Nona ac Anna

Chwarae tenis bwrdd

Byddai JGG
yn mwynhau
canu'r piano

Achenaten a Neffertiti,
arloeswyr y ddau chwyldro,
ffoisoch yn ddewr o ddinas Thebae,
canolfan Amŵn a'r offeiriadaeth rymus,
a sefydlu yma,
yn amffitheatr y bryniau creigiog,
ddinas y grefydd newydd, Achetaten.
Roeddech am ddweud y gwir am y duwiau,
mai un Duw sydd,
gan ehangu gweledigaeth rhai o'ch blaen;
a dweud y gwir am ddynion hefyd,
ac ymbil ar artistiaid
i dorri cadwyni'r traddodiad hierarchaidd,
haearnaidd gan ddefod,
a mynnu dangos dynion fel y maent –
hyd yn oed y Ffaro dwyfol-bwysig,
yn awr fawr ei fol, yn hurtyn, bron,
anathema'r Sefydliad artistig.

A rhaid bod Neffertiti, felly,
a barnu wrth y cerflun yn Berlin,
yn ferch ddihafal o firain,
osgeiddig eilun
yn cyd-synhwyro'r llif llesmeiriol
a sgubai ymaith ffolinebau oesau,
a'i choron syml ddi-nadredd
yn arwyddo dewis arall
a ddirmygai gonfensiwn.
A, ddeuddyn cyffrous eich bryd,
noddwyr naturioledd,
herwyr pob hoced!
Mor agos ydych i ni'n awr.

Ac eto yn y cyd-ddyheu a'r cydfalurio
daeth cysgod i dywyllu
ffurfafen las eich serch yn Achetaten.
Pwy oedd ar fai tybed?

Pa nwyd, pa anghydweld
a barodd i Neffertiti gilio
i blasty ar wahân –
mae'r olion dirodres yma –
nes ymddangos i rai fod Smench-kare[340]
wedi disodli ei serch
er mai gŵr oedd ef?
Ni chawn wybod y manylion trist.

A'r beddau yn y creigiau fry,
yma gwelsom y ddau yn cydaddoli'r Aten
yn y lluniau llawen
a'r plant o'u cwmpas yn llon.
Ym medd Panehsi[341] roedd colofnau lotws
a chroes Goptaidd hefyd,
arwydd o ddyfodiad Eglwys Crist,
priodas ffydd yr Aten â ffydd yr Agape,[342]
y pur yn rhoi ffordd i'r Puraf.

Ond yn gyntaf fe dorrwyd pob argae
gan ruthr y casineb mawr
ac offeiriaid yr hen grefyddau
yn dileu enw'r Brenin Achenaten
o bob cofnod ac arysgrif a cherflun.

Mae'n dda gennym, er hynny, O Frenin,
mai methiant oedd y dileu.
Mae'r meini mud yn atsain dy enw
a'th emynau'n drysor o gân aruchel
a'th gelfyddyd salw-onest i fyw byth.
Annileadwy wyt
yn stori'r hil.

MERSA MATRŴH[343]

1. FEL Y BREUDDWYDIAIS

Mae'r tywod yno'n gylch o aur
A'r môr yn gwrlid glas;
Yno mae'r nen yn ddi-ystaen
Ac ni cheir unsain gras.

Heddwch nirfanaidd sy yno'n llif,
Nid ydyw byw ond bod;
Yno mae chwilio a chael yn un,
Cyrhaeddodd hiraeth ei nod.

Yno mae pen draw'r byd yn llawn
Hoen pob cusanol ras;
Mae'n werth dod yno drwy'r anial coch,
I brofi'r ddihangfa las.

Mae yno ddiwedd blysio ffôl
Am bleser arall pell;
Cans gwelir yno y ffansi'n ffaith,
A'r profiad gwir sy'n well.

A fynnwn foethau Montazâh[344]
Neu firi Ras el-Tîn?[345]
Mae pleser yno'n afiaith uwch
A chytgord dau fel gwin.

Hanes sydd yno wedi rhoi
Pen ar ei ffwdan hir;
Mae'r funud hon yn cynnig mwy
Na themel Abwsîr.[346]

Yn funud sy'n anghofio'n llwyr
Ym Mersa Matrŵh a'i hedd
Ond am las y don ac aur y lan
A'r gwahodd sy'n ei gwedd.

II. FEL Y BU

Siomedig, ar yr olwg gyntaf, yw traethau Matrŵh.
Euraid yw'r tywod mân meddal, mae'n wir,
ac ymestyn y traethau bron yn gylch
i anwesu'r hafan finiaturaidd.
Ond mae glannau môr ehangach eu cryman
yng Ngŵyr a'r Bermo,
godidocach hefyd eu cefndir.

Y môr yw miragl Matrŵh.
Oes, mae yno fwy o las
a llawer lliw cytras –
yr amethystaidd wawl,
y tyrcwas a'r emrald a'r ffaiens claer,
y dyfnlas tywyll ac ysblanderau
Hathor,[347] Arglwyddes Malachit,
a rydd y perlau pur.

Ni welais o'r blaen
y fath oludoedd tryloyw mewn dyfroedd.
A'n traed yn y tonigau chwareus
gwelson y castiau, ymffrost yr haul,
pan deflir gweoedd cywrain corryn
ar wyneb y dŵr
ac adlewyrchu plethora'r crychau
rhwydwaith y gwrymoedd cudd.
Na, does dim yn gudd ychwaith!
Mae'r llygad yn treiddio i'r dwfn
yn y lasdon belwcid.

Gerllaw roedd obelisg isel yn y tywod
ac wrth edrych yn gyntaf
credais mai sgrifen hieratig[348] oedd arno –
os felly, y gyntaf erioed ar obelisg.
Ond na, Arabeg yr oesau diweddar
sy'n swagro yma,
a dwsin o gachfeydd diweddar hefyd
ar y garreg sylfaen gylchynol.

Ychydig o balmwydd sydd yn Matrŵh
yn siglo'u locsys yn ffri ger y don
gydag ambell chwa.
Ond mae cyfoeth o goed tamarisg
y coed llai mirain
mwy pigog na'r palm
eithr haelach eu cysgod.
A dyma'r pren, medd rhai,
a gysgododd arch Osiris[349] yn Bublos.[350]
Myfi yw pren y bywyd, canys bûm
yn ymguddfan i Arglwydd Bywyd
a Phennaeth Tragwyddoldeb.

"Prifddinas yr Anial Gorllewinol":
nid dibwys mo Matrŵh;
yno gwelir y polîs uchel eu sedd
yn marchog i warchod ar gefn camelod
y pellennig unig ffin.
Llydan er hyn yr heolydd
a newydd yw aml drigfan
a cheir temel fach yn y parc ger y môr
sy'n debyg ei ffurf
i Deml y Morynion yn Fforwm Rhufain.
Mewn trol ddwy olwyn (un asyn)
y daethom o'r orsaf yn dwt;
mewn caffe gwerinol ffa-ac-olew
y cawsom swper yn yr awyr agored,
ac mewn bistro Groegaidd rywbeth wedyn,
un yn beiddio rhoi llun Brenin Groeg
gyferbyn â llun Nasser ei hun.
Zêto Hellas![351]
Trueni bod y poteli *Stella* mor enfawr:
bu raid codi'n y nos.

TŴR CAIRO

Modernwaith mecanyddol ydyw'r tŵr,
Yn fain, yn grwn, yn llathraidd gyffwrdd nef,
Yn sbienddrych dros y dŵr.

Pan ddelo'r lifft â chi i'r hafan fry,
Yno, wrth sipian gwin neu sudd neu de,
Drwy'r holl ffenestri lu

Cewch ddrachtio o ysblanderau llawer oes,
Grym y Ffaroaid, heuled hyf Islâm,
Dyfalwch teulu'r Groes.

Mae Pyramidiau Gizeh yn y tes
Pellennig, Castell Saladin[352] ar y bryn,
A thros y Bont mae rhes

O ogoniannau llachar maen a gwydr
Sy'n cystadlu â'r Tŵr ei hun; tu hwnt i Ddoe
A'i loes a'i foes a'i fydr

Yr hoffai Heddiw gyrraedd. Ond fe gyst
Pob oesol gelf ryw ddawn yn fwy na phres.
Mae'r panorama'n dyst.

I TWTANCHAMŴN[353]

Prin y bu bedd erioed mor llawn
o wych drysorau,
a'r Ffarao ifanc ei hun
yn eu mysg yn ddiogel.
Eto o ran gwybodaeth mae'r enigma
sydd eto'n aros
yn gyfystyr bron â bedd gwag.
Er goludoced yr aur a'r eboni a'r alabaster
tlawd yw'r amgyffred am dy hynt.

Pwy oeddet sydd ddirgelwch.
Cefaist yr enw bedydd Twtanchaten;[354]
newidiwyd hwn i Twtanchamŵn.
Gan iti farw'n ddeunaw oed
prin mai ti a wnaeth y dewis
ac ni wyddom pwy oedd dy rieni.

O ble y daeth y llwythi llachar hyn?
Prin mai i ti yn unig y darparwyd y cyfan.

Dy farw mor ifanc sy'n ddryswch.
Pa haint a'th drawodd,
pa ffawd ddisyfyd?
Does dim arwydd ar y corff eneiniedig.

Os bu gennyt argyhoeddiad a ffydd,
beth oedd dy farn am y weledigaeth newydd,
am athroniaeth hael yr Aten?[355]
Gwrthodwyd y golau yn dy oes fer,
ond ni wyddom pwy a'i diffoddodd.

Un peth a wyddom yn glir
wrth syllu ar baentiadau'r bedd:
yn y diwedd
er y tristwch, er y cur caled,
cefaist dy arwain, meddir, at Osiris[356]
yr ochor draw
a'th gyfiawnhau ganddo yn ei Lys
a derbyn o'r bywyd bythol.

Y DDAWNS SANCTAIDD

(Zikr)

Roedd ambell un o'r doniau pêr mewn dyddiau pell
yn medru hwylio ar un adnod fach
yn ddigon grymus i wefreiddio'r dorf
a'i gwasgu'n wlyb domen mewn dagrau
– un adnod fach
ond goslef nef yn cyniweirio drwyddi.

Rhywbeth tebyg, dybiwn i,
yw sail yr ecstasi yn y *Zikr.*[357]
Rhyw frawd yn llafarganu adnod annwyl
o blith trysorau'r Llyfr Sanctaidd
brodyr eraill yn cydio yn yr hwyl
nes ailadrodd yn eiddgar
a sefyll yn rhes
a dechrau ysgwyd eu pennau i'r naill ochor a'r llall.
Nes cyrraedd stâd tu hwnt i synnwyr,
hysteria eneiniedig
enthwsiasmos y meddianedig
fel y Broffwydes yn Nelffoi[358] gynt
mewn ogof yn oraclu
fel y Sibyl[359] wyllt-wallgof yn cyhoeddi
rhagfynegiadau'r nef.

Cyflymir y cyd-siglo,
mae'r parabl bellach yn floedd aneglur,
mae gwefusau'n glafoerio.
Beth nesaf, Unig Dduw?
A oes gan rywun yma
sgorpionau gwenwynig
i'w cynnig i'r dawnswyr?
'Fyddai dim anhawster i'r rhain
yn y cyflwr hwn
eu llyncu'n ddi-nam.

YR ARGAE UCHEL YN ASWÂN

(Es-Sadd el-'âli)[360]

Yn enw gwawl y bore,
yn enw'r nos pan fyddo'n dawel,
nid yw'r Arglwydd wedi dy adael
na'th ddirmygu.[361]
Bu farw ugeiniau yn y llwch a'r gwres,
Aeth y costau'n uwch o hyd mewn gwaed a phres,
Am flwyddi hir rhaid dal i dalu'n ddrud
Am gymorth technolegwyr Rwsia cyhyd.
Ond nid yn ofer
Y bu'r llafurio mawr a'r lludded maith:
Daw gwobr Duw i lwyr fendithio'r gwaith.

Y diwedd fydd yn well i ti na'r dechrau;
yn y diwedd rhydd dy Arglwydd i ti lawenhau;
oni chafodd di'n amddifad a rhoi it gysgod?
oni chafodd di'n ymbalfalu a rhoi it arweiniad?
oni chafodd di mewn eisiau a rhoi it gyfoeth?
Heb fod ymhell o'r mwg lle daw y cawr
O argae i godi dan y craeniau mawr
Mae Amgueddfa'r Dyfodol yn rhoi plan
O'r gobaith gwiw sy'n cronni yn y fan.
Treblwr yw'r argae; bydd yn treblu swm
Cynnyrch y meysydd a'r anialdir trwm,
Gan droi'r anialdir weithiau'n ardd; a grym
Y trydan hefyd a dreblir drwy'r gwaith llym.
Os Allah a'i myn! Yng nghanol berw'r tir
Lle mae llafur dreng y llu, mae noddfa ir
I ffoi iddi – Mosg, Tŷ Gweddi'r gweithiwr blin,
A chysgod mwyn rhag llethol wres yr hin.
Mewn gweddi a gwaith
Dyhea'r genedl mewn un act o ffydd
Drwy'r chwys a'r chwain y gwawria tecach dydd.

Y CREIGIAU YN ASWÂN

Y creigiau boliog beichiog
yn gorweddian ar y lan
ac ar wely'r afon,
gwnaethoch gamp anodd yn rhwydd
drwy wneud llanast o rediad llyfn
brenhines breninesau'r holl afonydd.
'Ddaw'r llongau mawr ddim ymhellach,
dim ond ambell ffelwca[362] swil
neu fad pleser yn ffrwtian tua Philae.[363]

Y creigiau swrth anweddus
fel penolau eleffantod Rhydwen,[364]
ai chi a roddodd enw i'r ynys –
Eleffantinê?[365]
Am yr enw cyntaf, Ieb,
(ifori),
dannedd eleffantod efallai
a gynhyrchodd yr ifori a'r enw.
Dôi yma lawer rhodd o Nwbia, gwlad yr aur –
yr aur ei hun
a thus a myrr
a gwartheg ac eleffantod
a chaethion duon talgryf.

ABW SIMBEL[366]

Y mwyaf haerllug a'r mwyaf di-chwaeth
o'r holl Ffaraoniaid heb unrhyw os
oedd Ramesses yr Ail,[367] y concwerwr fwlgar;
roedd ganddo fyddin o ordderchwragedd
a graddau hefyd o wragedd;
Neffertâri[368] oedd ei Brif Wraig
(dyna'r teitl swyddogol)
ac mae golwg digon digwilydd
ar ei hwyneb hithau hefyd.

A dyma'r ddau a gafodd demlau trawiadol
wedi eu naddu iddynt i fewn i'r graig oesol
yn Abw Simbel, ger y ffin ddeheuol.
Pan ddôi'r dŵr i fyny'n llif
byddai trwyn yr hen Ramesses fawr
yn arogleuo'r pysgod
a gwefusau Neffertâri'n bur awchus
yn llyfu a llyncu'r trochion.
Buont felly am ganrifoedd
hyd nes bygwth eu tragwyddoldeb creigiog.
Wele godi'r Argae Uchel
a lledu'r dyfroedd i wneud Llyn Nasser.

Eu boddi a'u darnio a'u colli,
dyna'r dynged a edrychai'n debyg
hyd oni chodwyd llef
a chasglu'r miliynau doleri
i achub y cysegrfâu.

Gwelsom y craeniau yn codi'r clampiau o flociau
y llifau trydan yn torri drwy'r garreg
y clustogau bach rhwber gofalus
y plaster gwarcheidiol fel am glaf
y rheilffordd dros dro
y lorïau o Essen

ac o Sweden y peirianwyr goleuwallt
yn llwybreiddio'r achub.
Yn ddiau bu'n orchestwaith peiriannol
na welodd archeoleg ei fath.

Eisoes mae'r temlau gan mwyaf ar newydd sail
mewn diogelwch fry.
Achubwyd Ramesses a Neffertâri
rhag dyfrllyd fedd –
er bod yr hen Ram yn hollbresennol
a'i gerfluniau'n ddigon o bla
(mae un yn torsythu
uwch Prif Orsaf Cairo
yn ymyl ffynnon fawr).

A oeddent yn werth eu cadw?
Ai buddiol yr egni a'r arian mawr?
Wel oeddent, decini.[369]
Achos mae haerllugrwydd hefyd
yn rhan o hanes;
y tu mewn i'r temlau
ceir mwy o barchus ofn
a darlunio'r duwiau mewn ysbryd llai trahaus.
Ac mae Abw Simbel ei hun
yn fythgofiadwy yn ei unigrwydd mawreddog.

PABELL YR ARHOLIAD

(Bydd mwyafrif y myfyrwyr ym Mhrifysgol Cairo
yn sefyll eu harholiadau mewn pebyll enfawr.)

Dyma Babell yr Arholiad,
  I'w thrybini mil a drodd;
Rhwng pob sedd hawlir chwe llathen –
  Cyfathrachu nid oes fodd.

Ond ysmygir yn ddigerydd
  Neu orchymyn lemonâd;
Dim ond rhif sydd ar bob papur;
  I enw nid oes ganiatâd.

Er amrywio o'r amodau,
  Llef myfyrwyr byd sy'r un:
Gosod babell yng Ngwlad Gosen,[370]
  Tyrd, Wybodaeth, yno dy hun!

A FUOCH ERIOED YN MORIO AR LYN NASSER?

A fuoch erioed yn morio ar Lyn Nasser
rhwng Aswân ac Abw Simbel?
Mae'n werth mynd yno i weld ehangder maith
y dyfroedd megis dilyw
sy'n ymgronni i wneud ysblander
yr Argae Uchel.
Bydd yn creu trydan, meddir,
bydd yn chwyddo maint y tir âr
i genedl ar ei chythlwng.

Wrth forio ar Lyn Nasser
fe welwch hefyd o'r llong
y pentrefi gweigion unig ar y lan
a'r dŵr yn chwyrlïo'n rhodresgar
drwy'r drysau a'r strydoedd culion.
Bro'r ysbrydion yw hwn
sy'n rhythu oddi ar y lan
drwy barwydydd y gymdeithas goll
lle bu hanner can mil yn byw.
Cawsant eu symud yn garedig i bentrefi newydd sbon
ger Kom Ombo[371]
yn null y Wladwriaeth Les.

Mae'r tai newydd yn rhagori'n fawr
gyda'u dŵr a'u trydan
ac eto clywais fod y bobl wirion
am fynd yn ôl
i'w hen gartrefi.

Bywyd tlodaidd, bid siŵr, oedd hwnnw gynt.
Does dim blewyn glas i'w weld yn unman,
dim ond y tywod a'r creigiau a'r *Gebel*.[372]
Llyn Nasser sy'n golchi drosto'n awr
ei drochion arglwyddiaethol.
Cadarn oedd llawer trigfan

yn null Nwbia,
a beddau'r saint ac ambell fosg
yn harddu'r fan.
I rywrai mor annwyl oeddent
â Chwm-tir-mynach
neu Gapel Celyn,[373] ie Capel Celyn,
i'w trigolion hwythau.

Wrth forio ar Lyn Nasser
fe welwch olion y gwareiddiad hen;
dacw demel Amada
lle teyrnasai Re-Horachti;[374]
symudir hi'n awr gan beirianwyr Ffrainc
i dir uwch diogel;
a dacw demel Derr,[375] eiddo yr un duw;
daw tri dyn yma i gwrdd â'r llong
a derbyn bwyd.
Yng Nghasr Ibrîm,[376] yn herfeiddiol ar y bryn,
ceir olion y Ffarâo a'r Crist a'r Proffwyd.
A'r rhesi hir o frigau'r palmwydd yn y dŵr,
hyd at eu gyddfau yn y dŵr,
dynodant hwy
fod pentrefi cyfain wedi suddo
mor ddialw'n-ôl â Chantre'r Gwaelod.[377]

Eu ffenestri a'u dorau,
tyllau penglogau lle bu llygaid,
maent yn rhythu'n facabraidd
ar fyd a foddwyd.
Yntau Abd Dîn Siam,
Prif Arolygydd Hynafiaethau Nwbia,
"Tywysog Coron Kwsh",[378]
atebodd yn chwim,
Beth yw tywysog heb ddeiliaid
a gwlad heb werin bobl?

PENILLION BACH I'R PYRAMIDIAU MAWR

(yn Gizah)

Chwffw a Cha-eff-re a Men-kaw-re,[379]
Hwy yw arglwyddi ysbryd y lle.

Balch yw'r brenhinoedd, a'u beddau cryf
A drechodd bawb ond y lladron hyf.

Trechwyd y tywod a'r gwynt sy'n dwyn
Campau dyn i lefel brwyn;

Trechwyd Amser, didostur deyrn,
Trechwyd Angof a'i farrau heyrn.

Para y mae'r pyramidiau o hyd,
Ansymudadwy fel seiliau'r byd.

Ond os yw'r beddau yn eu lle,
Cyrff y brenhinoedd sy ymhell o dre.

Heddiw mae'r awyr yma'n bur,
Chwffw a rydd in gysgod mur,

Ffreutur a gardd o fflur a choed,
Tangnef dibrin fel erioed –

Ond pan fu'r llu yn gyrru'r maen
Ar ei ffordd heb gymorth craen[380]

Neu pan grochlefai meistri'r gwaith
Ar y llafurwyr aml eu craith.

SONED[381] I'R SFFINCS YN GIZAH

Does dim cyfriniol hedd
I'w olrhain o'r pawennau
Hyd at y cryf ffolennau:
Llew sydd yn gwarchod bedd.

Dirgelwch ni fu'n cuddio
Yn nwfn y llygaid chwaith;
Y garreg nid yw'n lluddio
Gweld y frenhinol daith.

Gan fod y duw Harmachis[382]
Yng ngwedd y teyrn a'r llew
Yn gyrru'r gelyn draw,

Pob ysbryd drwg afiachus,
Di-gryn yw'r brenin glew,
Di-bryder am a ddaw.

Y DDAWNS DDWYREINIOL

(Clwb Nos Sherzerade, Aswân)

Gan edrych ar hon
Y gwelwn y chwarae sy'n chwilio'r hanfod,
y cysgod sy'n agos at sylwedd.

Wedi swper yn y Clwb Sherzerade
aeth y goleuadau'n is
a'r lampau cochion yn meddiannu'r nos.
I'r awyr daeth si ddisgwylgar
a phan darodd y band y nodyn cyntaf
gwyddem fod rhywbeth ar waith.

Y dawnswyr o Nwbia yn gyntaf
yn eu capiau gwyrdd a choch,
gwŷr ieuainc yn canu hen iaith eu gwlad
(sy'n gytras â heniaith yr Aifft)
a'r mydr yn gryf yn y sain a'r cydsymud.
Nid yw'r cyfan yn glir i Eifftiaid Aswân,
lai fyth i ymwelwyr o Gymru.
Ceir gwenau canmolus, ond awgrym
o'r gwerth rhagymadroddol,
y tamaid i aros pryd.

Yna'r adroddwr a'i stori ffraeth,
a'r gantores sy'n cymell pawb i'r gytgan –
oni fedrwch chi ganu DIM?
Cyffrous yw'r Ferch Dew a'r Ferch Denau
yn ymnyddu y naill i'r llall
a'r Dew yn gorwedd a chodi coesau
nes dal y Denau i fyny
ar flaenau ei thraed.
Ia salâm! Neno'r tad, dyna gamp!
Eto rhyw ddisgwyl yr ŷm.

A dyma'r band yn taro'r wir Arabésg
a'r offer yn herio'r eirfa Gymraeg.
Does dim camgymryd fodd bynnag
yr alwad iddi HI.
A'r hyn a fu'n fawr ddyhead
a ddaeth arnom.
Mae'r ddawnsferch, fflashen y ffair,
wedi dod!
Daw gweiddi serchog uchel drwy'r clwb eang,
rhywbeth fel haleliwia Bob Roberts Tai'r Felin.[383]

Un dal yw hi, yn dynn mewn gwisgoedd cywrain.
Daeth yr holl ffordd o Gairo i lonni gwŷr Aswân.
Yn ei llygaid mae'r ateb i lawer hiraeth
a lili a lotws ei gwallt
fel llun o fedd Nacht.[384]
Dyw hi ddim yn ymnoethi fawr ychwaith.
Wedi prelwd tawel
mae'n taflu un gorchudd sgarlad i ffwrdd,
dyna'i gyd.
A'i dwydroed yn sefyll yn stond
ystumia'i chanol mewn cylchoedd,
mae'n troi a throi
heb symud dim o'i hunfan.
Daw newid wedyn.
Does dim lol bellach yn ei chyfathrach,
daw'n syth at y pwynt;
mae'n dechrau darlunio'n hael a hy
y profiad o gyd-doddi o'r cnawd.

Yn agos, megis, at ei hanwylyd
mae cryndod y cnawd a gyffroir
yn gafael ynddi.
Mae ei bronnau'n siglo,
y ffylacterau'n symud,
a jinglan rhyw damborîn
yn cadarnhau'r neges,
heb sôn am glec y clapedau.

Fel i ddifân Swliman y Swltan
daw atom bob yn gylch
a sefyll ar ambell fwrdd cyfagos.
Aywa, kidda! Ie, felna!
ebe Shêch urddasol
gan ganmol yr ymnoethi mwy.

Yn ôl â hi i'w llwyfan.
Cyflyma'r miwsig,
clapia'r castanedau'n wyllt,
fel uchafbwynt gwledd ym Mabilon gynt
pan oedd y corned a'r chwibanogl
a'r delyn a'r dwlsimer
a'r saltring a'r symffon
a phob rhyw gerdd yn galw.
Dyma'n ddi-os yr acme nwydus
y penllanw orgasmig.
Yn sydyn daw mudandod.
Peidiodd y band, mae'r ddawns ar ben,
a hithau'n llipa, bron ar syrthio.

A, luniaidd artist!
Nid jocen yw chwipio chwantau'r fath griw
cymysgryw a dienaid.
Ond aros dro.
Mae'r môr o guro dwylo'n golchi atat
a'r floedd hir foliannus
yn gysur bach.
A chawn oll dorheulo
yn dy wên gariadus ddiolchgar.

Y GROES O DDAIL PALMWYDD

(Gwasanaeth bore Sul y Blodau yn Eglwys Mynachlog y Santes Caterina ger Mynydd Sinai o dan arweiniad yr Archesgob Porffurios III o Gairo.)

Mor oer a gwlyb yw'r groes o ddail y palmwydd
a gefais gydag eraill ar ddydd yr ŵyl
gan yr Archesgob
wedi inni gusanu ei law;
dail ir o Fynydd Sinai
a gwlith y bore o hyd yn ffres;
arwyddant barch i'r Brenin,
ond ar ffurf croes y maent.
Ceir sain Hosanna
a sŵn y clychau'n chwarae,
ond yn fy llaw mae croes.

Yn yr Eglwys Roegaidd ger Sinai
lle cofir cur y Santes Cathrin
a ddirdynnwyd ar olwyn
mae llawer llun i'n denu;
ar y sgrin enfawr o flaen yr allor
pentyrrir darluniau'r saint a'r apostolion
ac ar bob mur
mae llun o hen eiconau;
euraid a llathraidd yw'r gwawl
o'r ddarluniadaeth fry
ac aml-geinciog yw'r coed canhwyllau;
ond nid oes heddiw wledd i lygad
hafal i'r dail palmwydd syml
a blethwyd gan y Coptiaid;
maen nhw'n eu dal i fyny'n frwd
i gofio'r Hosanna i Fab Dafydd
ar y ffordd i Gaersalem,
i gyfarch yr un sy'n dyfod
yn fwyn ar asyn yn enw'r Arglwydd
(a wir, dyma asyn o ddail palmwydd hefyd
yn nwylo un).

Ysgytiad od yw cael wedi hyn
y dail sydd yn ffurf croes,
mor oer a gwlyb.

Gwelais yr Archesgob
yn mynd i fewn i'r Cysegr
a chlywed darllen y llith
mewn Groeg seinber
am gyfarch y Brenin ar ei ffordd.
Do, clywais sŵn y clychau'n chwarae
a rhyw firi sanctaidd yn cyniwair.
Ac eto i'm llaw
daeth croes.

Roedd Ef, realydd Calfaria, yn deall hyn.
Ni chafodd ei dwyllo
gan y ffair a'r orohian.
Pan welodd y ddinas
fe wylodd drosti,
ac yn nail y palmwydd croesawgar
gwelodd lun croes.

PRIODAS CYFAILL O EIFFTIWR

(Ei drydedd)

Es kommt nur einmal,
Die treue Lieb',[385]
Medd canig hoffus,
A dyna 'nhyb.

Ni ddaw ond unwaith
Y cariad gwir,
Ac wedi dyfod
Mae'n dal ei dir.

Es kommt nur einmal,
Die treue Lieb',
Seren sefydlog,
Nid seren wib.

Ond priodas ddedwydd
I ti a'r ferch
Wrth gynnig eto
Ar ddoniau serch.

MOSG IBN TWLŴN

(Cairo, o'r nawfed ganrif)

Symledd yw sail gogoniant araul y ffydd
a'i holl fynegiant pensaernïol:
rhyw lecyn moel oedd capel gynt
a llieiniau'n furiau
i'r Proffwyd ym mro Mecca;[386]
ond wedi crwydro a thaenu'r gred
benthyciwyd o draddodiad goludocach
megis o Bersia[387] Fawr a Buzantiwm[388] addurnol.
Gwelwyd mireinder minaredau
a chwpôla'n teyrnasu'n wylaidd.

Arhosodd un cyfyngiad:
doedd dim delw gerfiedig i fod
ar lun anifail neu ddyn
na phortread hyd yn oed o'r Proffwyd –
adlais hwyrach o'r Ail Orchymyn Hebreig.
Cyfyd her o bob cyfyngiad
a bu penseiri'r ffydd yn fuddugoliaethus:
yma ym Mosg Ibn Twlŵn gwelwyd eu medr cynnar:
llys llydan mawr dan las y nen,
cromen uwch adeilad bach yn y canol
lle bydd yr addolwr yn mynd yn gyntaf
i ymolchi;
yna i'r colofnrodau cysgodol
lle bydd ymostwng a gweddïo.

I ddeunydd y muriau cylchynol
gweithiwyd rhosedau
ac ar ben y mur blaen
mae creneladau cryf.
Y tu allan yma y mae'r minarêd,
ac nid i mewn, fel yn El-azhar.[389]
Mwy gorwych yw Mosg Mohammed Ali[390]
ac mae dysg yr oesau

yn llethu El-Azhar, Mosg yr Hen Brifysgol;
ond yma y mae naws y symledd pur cychwynnol
y glendid geometrig oer.

Da fu diosg esgidiau'n dawel er mwyn cael
sandalau wrth y drws;
Mae'r fendith i'r enaid ffyddlon yn ddi-ffael –
Hedd y trigfannau tlws.

FFLAM CASINEB

Siop lyfrau newydd ydoedd
a chroeso moethus i'r agoriad swyddogol:
y llyfrau wedi eu trefnu'n ddeniadol
rhai Arabeg a Saesneg ac Almaeneg a Ffrangeg
adran i'r cylchgronau diweddaraf
peraroglau yn yr awyr
gwenau serchog gan y gwyryfon sy'n gweini
atebion mewn sawl iaith
sieri i'r Ewropëaid –
ffadal,[391] cymerwch un arall!

Crwydro a wnaethon ni
i adran y Geiriaduron
a gweld rhes loyw o rai Saesneg.
Agor un rywle i'r canol
a sylwi ar beth rhyfedd –
roedd un gair wedi ei groesi allan
ag inc glas.
Beth yw'r gair tybed?
Wedi craffu daeth yn glir:
Israel.
Edrych ar gryn ddwsin o eiriaduron
a chael bod *Israel* druan
wedi ei dileu mewn ffordd debyg
ym mhob un.

A dyna'r gwir am nod yr Arab:
dileu Israel,
ei difodi, ei distrywio
fel cenedl a gwladwriaeth.

Mae yn yr Aifft lond byd
o gwrteisi a gwarineb;
Rhudd-ffagla eto i gyd
Dragwyddol fflam casineb.

CERDDI'R HOLL ENEIDIAU

CERDDI'R HOLL ENEIDIAU

J. GWYN GRIFFITHS

GWASG GEE

(Gwasg Gee, Dinbych, 1981)

Bu J. Gwyn Griffiths yn Gymrawd Gwadd yng Ngholeg yr Holl Eneidiau, Rhydychen, 1976 – 77. Cyfansoddodd rai o'r cerddi hyn yno, ond mae'r 'eneidiau' yn nheitl y gyfrol hon yn ymwneud â phobl o sawl cyfnod.

Erbyn y cyfnod hwn roedd gyrfa golegol J.G.G. yn dod i'w therfyn. Roedd wedi dysgu mewn prifysgolion yn yr Almaen, gan gynnwys Bonn a Tübingen. Roedd wedi cael cadair bersonol yn Adran y Clasuron yn Abertawe. Ond o ran ymchwilio a chyhoeddi, roedd ar drothwy cyfnod mwyaf toreithiog ei fywyd.

O hyn ymlaen byddai'n ymroi i waith academaidd, ac yn ystod y blynyddoedd nesaf ysgrifennodd rai o'i astudiaethau mwyaf swmpus ar grefyddau'r Hen Fyd.

Daliodd i bregethu tan ei wythdegau, ac roedd ei ddiddordeb yng Nghymru a'i lles yn dal yn ysol. Mae llawer o gerddi'r gyfrol hon yn clodfori rhai a wnaeth safiad dros genedlaetholdeb Cymru yn y cyfnod diweddar, ond mae'r diddordeb mewn crefyddau yn gryf, fel y mae ei ymwneud parhaus â'r Hen Fyd.

I CERDDI CYFARCH

I GWYNFOR EVANS

Buddugwr y Sianel Gymraeg[392]

Bu ryfedd sŵn y sen
    A'r dadlau dyfal,
A'r cegau croes yn llawn
    Poerion amryfal.

Pam y teledu?
O bopeth pam y teledu?
Beth am fusnes y *ghetto* –
onid sianel y *ghetto* fydd hon?
A phwy sy'n mynd i dalu?
A beth am natur y bygythiad –
ai hunanaberth neu hunanladdiad
fyddai peth fel hyn?
Neu wallgofrwydd hynafgwr ffôl?
Onid BYW dros Gymru sydd eisiau,
nid MARW?
(Hyn yn gerydd
i un a fu'n byw ac aberthu
oes gyfan drosti.)

Yr oedd d'atebion clir
    Yn graig ddisymud;
A threchodd dy eithaf lw:
    Cynnig dy fywyd.

YR HOLL ENEIDIAU: DYLEDWYR YDYM

Dyledwyr ydym
i'r offeiriaid a fynnodd y bywyd helaethach
a byw gyda'u gwragedd yng ngwres y Ffydd
er gwgu o awdurdodau cred a'r ascetigwyr ffrom.
Mae clod i chi, fechgyn, am wrthod diddyneiddio
ein natur sboncus.

Dyledwyr ydym
i ferched hardd ein hil,
Gwenllian[393] a Nest, Ann a Gwerfyl,
ac ambell Ruth[394] o estrones.
Rhoesoch riniau Mair[395] i'n haelwydydd,
a buoch ffyddlon i Gymru
ein mam ni oll
a dotiai Affrodite[396] ar eich swynion.

Dyledwyr ydym
i bawb a fagodd dân ein rhyddid,
ei enhuddo dros nos ein caethiwed,
a'i fegino yn y wawr hon.
Ein Llyw Olaf[397] ac Owain Glyn Dŵr,
Mihangel y Bala ac Emrys ap Iwan,
Saunders Lewis a Gwynfor Evans:
cynnes o hyd yw gwrid y fflam.

SYCHED CYMDEITHAS YR IAITH

(Gydag ymddiheuriadau i Ffred Ffransis a Gronw ap Islwyn a Hywel Pennar a llwyrymwrthodwyr eraill y mudiad)

Mae syched tragwyddol yn Sycharth arglwyddi'r iaith.
Pan ddaw'r Gymdeithas i'r dref
Aiff sawl tafarn yn hesb
Ac mewn noson bydd gan y tafarnwr ddeufis o waith.

Nid newyn am fara sy ar y criw ac nid syched am ddŵr
Ac anodd sylwi ar chwant angerddol
Am eiriau'r Arglwydd Dduw;
Os yw'r Diawl yn y gasgen gwrw, mae'n gwmni Satanaidd yn siŵr.

Am gwrw a thwrw a Thwll-Dîn-Pob-Sais a miri Englynion Coch,
Yffarn! am falu cachu a blasffïo
A chic ym mhen-ôl y Drefn,
Wel dyma fan yn ymyl Diawl – y Salŵn Bar sydêt yn gwt moch.

Clywir sain ffug-emyn, bid siŵr – *O na bawn i fel S.L.!*
Myn Mair, a yw'r Chwyldro Mawr yn ddim
Ond chwyldro mewn miri a chwydu a phendro
A Chymru'n fôr o gwrw, nid môr y duwiolyn del?

Ac eto bydd rhai yn maddau'r syched hwn, a sachaid o feiau mwy
O gofio'r llysoedd a'r sen
A dwrn dur y carcharu
A'r syched anniwall arall am swcwr i'r iaith dan ei chlwy.

LEWIS VALENTINE

(Llywydd cyntaf Plaid Cymru; Ymgeisydd Seneddol Cyntaf Plaid Cymru; ac un o'r Tri yn Llwyni'r Wermod)[398]

Y dewr, di-gyfri'r gost,
    Y cyntaf wrth y llyw:
Er dicred y drycinoedd
    Mae'r llong ar donnau Duw.

Y dewr, y dur-o-galon,
    Y cyntaf yn y gad:
Heb iddo arf ond cariad,
    Na sgrechair ond ei wlad.

Y dewr, y diedifar,
    Y dyfal yn y drin:
Er yfed ohono'r wermod,
    Gwena – nid oedd ond gwin.

TEYRNGED GOFFA I OLIFER J. EVANS

(Trefnydd lleol dros Blaid Cymru)

Bropagandydd y priffyrdd a'r caeau,
o dŷ i dŷ yr ymlusgaist
yn cynnig y freiniol ddysg
am Gymru yn rhydd a chyfrifol.

Y crwydryn o efengylydd,
o ddrws i ddrws yn curo,
rhoist gnoc ar y drws olaf
a chael croeso mawr
i ddod i fewn.

I ALED EURIG

(Carchar Abertawe: tri mis)

Rwyt ti wedi dewis, a dweud y lleiaf,
ffordd od o dreulio gwyliau'r haf,
bod yn Garcharor Iaith.
Mae'r stori, ysywaeth, yn gyfarwydd.
Cadeirydd yr ynadon oedd Philistia
ac eisteddai hefyd ar y fainc
Anghrist a Quisling a Blimp;
ac roedd pawb o dan archiad
y Gwir Anrhydeddus Cymro-i'r-Carn.

Rhyw gysgod fyddi felly ar wawl yr haf,
Mymryn o gnoi cydwybod yn y wledd,
Ar draethau hoen, si awel oer. Ond braf
Yw creu, drwy bwt fel hwn, esgus o hedd.

Rho im yr hedd, myn y Cythraul Cysurus!
Ac esgus yw, oherwydd ni sy'n gaeth –
yn gaeth i ofnau'r Cymry geiriog,
yn gaeth i swydd a sen.
Ein cymedroldeb call yw'r glwyd sy'n cau;
drwy'r twll yn y drws
ein llygaid pŵl ni sy'n sbïo
(y Brawd Mawr sy'n ddiacon a phregethwr lleyg).
Barrau dy ffenestr, nyni a'u lluniodd.
A'r bromeid hwyrol,
nid y B.B.C. sy'n arllwys y cyfan –
mae hylif gennym ni
sy'n diffodd pob fflam arwrol-ffôl.

CERDD I GYFARCH[399] MEREDYDD EVANS[400] A PENNAR DAVIES A NED THOMAS[401]

Bu trai ar y Traeth Mawr
blwyddi'r aberth ifanc
Ie ac Amen
y cydymdeimlwyr cysurus
Bendith ar eu pennau hirwallt
ac ambell bumpunt i'r casgliad cymorth.
Bellach daw si'r tonnau symudol
y gwyn eu gwawl a'r gloyw eu cleddau.

Mae'r disgwyl mwy yn gyffro
ym murmur y sicr-o-gyrraedd-glan
y cynnwrf cyfrifol
y diatal ei laethog lif
dros y Traeth Mawr swrth
nes boddi pydewau sychlyd
Realiti a Phragmatiaeth.

Anghofiodd rhai mewn cilfachau pell
y wedd sydd ar y wendon
y cystadlu gwyllt wrth gyrraedd glan.
Pan ddaw'r llanw eto
i'r Traeth Mawr
bydd ysgytiad, bydd gwefr i genedl.

SARTOR RESARTUS[402]

(Y teiliwr wedi ei deilwrio eto. 'Rwy'n teimlo'n borcyn heb y mynydde' – Mr. Idris Thomas, Pont-lliw, yn Stiwdio Cymreig Granada, Manceinion, yng nghwmni Rhydwen Williams)

Dyrchafaf fy llygaid i'r mynyddoedd
o'r lle y daw fy nillad.

Unwaith bûm yn drwsiadus glyd
yn cywiro a chadw
siwt Moel Cadwgan a chôt fawr Pen Rhys.[403]
Aeth y cyfan mwy yn rhacs rhidylliog.
Am hynny ail-glytia ac ail-wisga fi,
O Arglwydd yr uchel leoedd;
gwregys im fydd dy greigiau
a'm sgidiau dy dwyni grugog.

Dillada fi yn dy fryniau,
Di frenin Tabor[404] a Hermon;[405]
dy glogwyni fydd godre fy ngwisg,
a'r cymylau'n dïara werinol am fy mhen.
Cuddia fi yn dy lechweddau noddwiw
rhag dychryn, rhag y noethni newclear.

Lapia fi yn dy Libanus[406]
a rhoi im dy Barnasos[407] twym-dan-eira
fel côt fawr.
Am solas seithfryn araul dy Rufain
hiraetha fy lwynau;
a dwfn yw dilladwaith drud
dy Galfaria[408] a'th Olewydd[409] –
goreuon gwardrob y nef.

CYFARCH YR ARGLWYDD ROBERTS[410]

Goronwy yn Arglwydd – Arglwydd Mawr!
Ryfeddol fraint i lwch y llawr.
Gweinidog Tendans i'r Frenhines!
O glodwiw yrfa! Pa ddewines
Ragwelodd nef y fath aderyn
Yn isel drydar Mudiad y Werin?

Y PROFFWYD

('If they (bilingual signs) are put up, I prophesy they will be down within a fortnight.' – Mr George Thomas, A.S.)[411]

I foes di-faes ar ddiwetydd gwyn ei wallt
Mae wedi chwech arno fe, a naw dan y ffliw,
Gwin y gwan[412] i ddau, Malachi 3, 1 – 16,[413]
Uffern, mae'n peswch drwy'r nos,
Mil yn newydd, dim ond cant yn awr.[414]

Blaidd mawr dan y bwrdd mawr,[415]
Blaidd bach dan y bwrdd bach,
Blaidd bach bach dan y soffa.
Dos â'r wialen, Einion,[416]
Rho gnoc iddo, Garmon,
Wada fe, Lefi.

Fe ganwn y nesaf ar ein heistedd.
Eryrodd gwrach i'r nawfed nef nes cael
Bod Mab y Wawrddydd wedi ei sbaddu.

Dyw e ddim wedi cyrraedd yr ysgyfaint beth bynnag.
Dawel nos a sanctaidd fom.
Broffwyd, Broffwyd, cilia, cilia,[417]
Solvet saeclum in favilla.[418]

HARRIS YR HYSBYS[419]

Harris yr Hysbys, dewin y dengair hud,
daethom i'th fro'n ddisgwylgar,
ac ni chawson ein siomi –
ond bod chwiw o ddadfytholegu
wedi disgyn arnaf
gyda'r chwa iraidd.

Fy mhrofiad i oedd cael
dy gordial cyfrin yn siffrwd y dail,
dy swyngyfaredd yn y sisial
sy'n troi'r cadno bach coch
ar simnai ysgol wag Cwm Cothi.
Canfuwyd y ceinder coll heb chwilio dim.

Y dŵr swyn yw tincial dyfroedd Cothi
ar y cerrig mân
a'r cylch derwyddol o ryfedd rin
yw'r cawg rhwng dau fynydd
sy'n gyfan fyd ei hun.

A'r awyr las, anedlwch hwn,
chi â'r ysgyfaint llesg;
dyma'r elicsir o lyfr y Doctor.

GAUDIUM TRISTE[420]

Mozart, Symffoni Rhif 40 yn G Leiaf, K. 550,
wedi clywed datganiad gan Orchestra Camera Lloegr
dan arweiniad Lawrence Leonard.

I. *Molto allegro :*
RHYDWEN

Mae'r thema cyntaf yn cyrchu i fyny'n arialus
yn llawen bron at ddorau'r wawr
oni bai am ryw ddyhead trist
sydd am ddychwel i'r nos
lle mae gwallt maenadau'n[421] llifo i'r dwfn
a Dionysos[422] yn chwilio am ei ebyrth.
Ein dwyn at olau gorchfygol eto y mae
yn wyllt, yn fwyn, yn farus, eto'n fêl.

II. *Andante :*
PENNAR

Cyn dod o'r llif rhamantaidd y mae Storm a Straen[423]
yn gwasgu eu ffordd i'r ymennydd claer.
Ond O'r serenedd hunan-hyderus!
Mae tyndra trist ar waith mewn tonnau cudd;
os hael yw'r wên, mae'r ffordd drwy fforest ddu
lle bydd gwawl nefol yn fflachio drwy'r canghennau
ac adar cerdd yn drech na'r bwystfil.
Daw sain motifau o groth ansicrwydd gwibiog,
y cwafrio, y neidio, yr anesmwytho ar Seion[424] a Wien,[425]
hyd nes y daw'r ymollwng maith llifeiriol.

III. *Menuetto Allegretto :* KATINKA[426]

Bydd rhai yn gwrthod mynd i rigol.
Mewn lliain a lliw a llinellau llifol
bydd y doniau diorffwys
yn patrymu sbiralau newydd
yn ein dwyn at sirioldeb y doldiroedd
heb oedi ennyd na difyr-droi am foment
i gwmni'r llyn sy'n gorwedd ger y castell
a'r mosg sy'n gampwaith geometredd oer
er nad yw'n derbyn merched
a'r Ceffyl Gwyn[427] sy'n dal i herio'r oesau.
Mae'r nodau chwim fel gleiniau llachar
yn arwyddo
holl hoen Amarna[428] a chwyldro ffydd a phoen
a Phlasdy Shalmaneser[429] un Nos Sul.
Oes, mae merch yn Amarna ar lun honno
a welodd Gentileschi[430] yn canu'r liwt.

IV. *Allegro assai :* WOLFGANG AMADEUS

Bu llawer artist yn dehongli a chyfleu
ac yn y cyflymdra terfynol
mae anocheledd heuliau a ddaw
sy'n gyrru'n ôl y lloer wan a'r sêr gwannach.
Soles occidere et redire possunt.[431]
Llawen yw gwin y bywyd
sy'n dal i lifo i wydrau'r gelfyddyd daer
nes poethi'r mêr.

I'M HEN DAD-CU

(sef William Davies,[432] yr Efail, Talyllychau, cydweithiwr a chyfaill i Thomas Lewis, yr emynydd. Dywedir iddo ef gadw ar gofnod emyn Thomas Lewis, 'Wrth gofio'i riddfannau'n yr ardd')

Yn Nhalyllychau mae dy fedd[433]
A'th stori yn y fro
Yn peri i'th forthwylion crai
Seinio eu ffordd i'm co'.

Nac edliw im mor dila'r fraich
A'r enaid sydd i mi;
Mae cenedlaethau'n mynd a dod,
A dieithr mwy wyt ti.

Llawnder dy fyw a'th draserch ir
Ni ddaw yn eiddo im;
A'th loyw ffydd, och, erbyn hyn
Ni ddyry olau ddim.

Crwydrais innau o gwm i gwm,
Llaciodd fy ngwreiddiau pur,
A'm serch ar wasgar aeth yn llwyr
Fel gwreichion d'eingion ddur.

Ni cheraist dithau'r un lle ond
Yr henfro annwyl hon,
Ac O'r gorfoledd gei yn awr
Yn gorffwys ar ei bron!

II MYFYRION YMA...

Y DEFAID A'R MOCH

Y defaid a'r moch, y gwartheg a'r ieir,
Mae gofal dyn drosoch, eich pesgi a wneir,
Eich tolach yn dadol, eich suo mewn hedd,
Ond cofiwch y pwrpas: eich lladd at y wledd.

Y llanciau a'r henwyr, y gwychion a'r gwâr,
Y merched morwynol, pob blysig a gâr
Y cynnwrf a'r llesmair: ni'ch siomir ddim mwy.
Darparwyd gan rywun, ac ni waeth pwy.

Mewn munud melodaidd os trewir rhyw sain
O grafog amheuaeth megis pigiad y drain,
Addefwn y pwrpas, cans yn eglur fe'i gwnaed:
Ein lladd at y wledd ac yfed ein gwaed.

GWYLIA DY GYFLE, WAS

Gwylia dy gyfle, was, er drwg, er da;
mae modd gwasgu cynhaeaf o foment.

Cofia'r llwyddiant lloerig yn nhref Dalas.[434]
Pan glywodd y cynllwyniwr y drefn,
fod yr Arlywydd i ddod heibio'r ffordd honno,
gofalodd fod rhoi ar ei ddryll y syllfa delesgopig;
dewisodd ei fan ar y chweched llawr,
a bwyta rhan o ffowlyn ychydig cyn yr amser.
Daeth eiliad y cyfle, a'r ceir yn troi'r gornel.
Ni chrynodd hwn, ond saethu'n hy ddwy waith
a bwrw ei nod.
Y foment fer fawreddog, fe'i daliodd hi
â dwylo glwth.
Di-ddianc mwyach yw ei brae.
Mewn munud oer medwyd cynhaeaf gwaed.
Syrthiodd y gwleidydd gwâr.

Cofia hefyd y llwyddiant llon yn Jerico.[435]
Pan ddaeth y si i'w glustiau ef,
Prif Arolygydd y Trethi, Rhanbarth I,
fod Iesu o Nasareth i ddod y ffordd honno,
astudiodd y sefyllfa.
Cofiodd y dyrfa barhaus ac yntau'n fach o gorff;
ystyriodd ystryw.
Dyma goeden, meddai, sycamorwydden braff,
gwnaiff hon y tro.
Pan ddaeth eiliad y cyfle, roedd hwn mewn lle
chwerthinllyd o amlwg,
a'r paradocs yn taro'n glwt –
yntau'r Prif Arolygydd fel mwnci ar gangen,
y dyrfa'n weddus ac yntau'n ffwlcyn y ffair.

Ni allodd Iesu beidio â'i weld a gwenu.
Cynhaeaf gras a ddaeth ar frys.
Heb oedi dim
cerddodd iachawdwriaeth drwy ei ddôr.

Dewis dy gynhaeaf, was, er drwg, er da.
Gwasga ef o'r foment fyth-ni-ddychwel
a gwylia dy gyfle.

PREN YM MIS RHAGFYR

Y dwylo sy'n ymestyn fry
â'r bysedd sgerbwd
a'r gwythiennau wedi fferru:
fe'u daliwyd gan ryw arteriosclerosis
a rewodd y dail a'r diliau.

Ac eto mae tywydd y Gorllewin
wedi taenu lliw ar gymylau sy'n ffoi.
Mae awgrym o enfys fan draw
a gwawl yn claeru pob dim.
Mae'r pren yn ymestyn yn awr
i nen sy'n croesawu
fel ffurfafen y *Stella Maris*[436]
yn gwahodd tŵr Eglwys Gothig.

HAF 1968

Mesur o lwc oedd bod yr Adran Glasurol
yn yr Abaty[437]
yn wynebu'r hoen hafaidd
a'r dygnu hir felly mewn ystafell unig
yn digwydd yng ngŵydd cerflun cain
y tri dolffin sy'n ymwáu i'w gilydd
uwch bachigyn o lyn
lle chwery'r pysgod aur yn hyf
a'r coed talgrib uwch y magnolia
yn gefndir.

Haf hirfelyn oedd a'r haul
yn ffustio'r ffenestr
nes cyrraedd y cardiau a'r teipiadur,
taclau'r mynegai maith.

Ffoi wedyn i Firenze a Verona
Milano a Ravenna,
Bologna, Torino,
Wien, Tübingen, Köln, Leiden
a'r haf yn dal yn ei anterth ar ddiwedd Medi
(ac eithrio gwynt oeraidd Köln).

Haf hir a hael heb fod gofal yn gafael
ond galwad yr *Einsamkeit*[438]
a fu eto'n garuaidd gwmnïol
gyda'r dolffiniaid oer a'r pysgod aur.

HECATE[439]

Facilis descensus Averno[440] Gyda thi y cwblheir
pob defod ddwys yn dda
os bydd y lloer yn arddel, oni bai
bod du ei gwallt a gwyn ei chroen
yn ormod croeseb.

Aeth rhai i gredu'n gryf fel arall
wrth ddadansoddi chromosomau
yn null yr astroleg newydd
fel pe bai fferylliaeth fiolegol
yn Wydion[441] mwy ei hud
na seren uwch y crud.

O Hecate, gwregysa lwynau'r nerthol wyll,
dadresymega'r syberwyd soffistig.
Seithwaith yr amgylchynwn
a hi yn ganol nos
y fangre lle cyferfydd y tair ffordd.
Nid yw du a gwyn mor llachar mwy
fel croeseb;
daw fflam yn rhuddgoch i lyfu cwmwl isel,
daw'r gân ddewinol i'r glust a'r mêr,
daw cwlwm i glymu'r coed.

Bydd cyfeillach dyn yn dynn
a chydiad mab a merch yn llesmair.
Gwrando, Hecate, yn nerth y nos,
a distyll suddau dy afreswm.

GENTILESCHI:[442] MERCH YN CANU'R LIWT

(ar flwch o siocledi gwin)

O'r wisg felynaur laes
sy'n agor fry ar flowsen oleulas
at y gwallt rhuddaidd llyfn
sy'n gorffen mewn coron blethedig
a'r pen myfyrgar sy'n pwyso ar y liwt,
tair ynys o gnawd a gyfyd
o'r môr dillad –
ei hwyneb llawn, blonegog bron,
yr hanner-braich sy'n dal yr offeryn,
a'r gwddf uwch ysgwydd mwythus.

I mi mae golwg od ar y liwt
a'i bol chwyddedig hen-ffasiwn.
Ond mater bach yw hyn
a mater bach yw popeth yma
wrth yr hudoles ir ar soffa sgarlad.

Pa gân sy'n llithro tybed o'r tannau cudd?
Mae'r cwestiwn yn ddi-fudd:
Daw sain o syllu ar y fun –
Y felodi yw hi ei hun.

FRYNIAU DIOG: Y GAIR YN GNAWD

Fryniau diog, mae croeso i chi ddangos
drwy ffrâm wen y ffenest
eich penolau copor;
mae'r pregethwr yn clatsian y beibil du,
un diacon penwyn yn cysgu,
a'r ugain arferol yma ar fore sul.

Ond monastîr[443] ni fynnaf fi;
mae'r Gair yn ddigon a wnaed yn Gnawd,
a'i afael cynnes ar fywyd o'r bru i'r bedd,
ar farcion[444] a phawl[445] a phelagiws[446]
ar buteiniaid a thrapistiaid;[447]
sonia am un sy'n caru maddau
i eithafwyr
er dirmyg aristotlys[448] a saciamwni.[449]

Mae'r pregethwr yn iawn, a'i law lwtheraidd
yn llyfn ar eich penolau copor
sy'n awr, yn awyr rhagfyr, dan hugan las;
mae ganddo, welwch chi, ddwy lythyren fawr,
y Gair yn Gnawd.

PAN GILIO'R HAUL

Pan gilio'r haul o orwel byd
  Daw'r lloer i ddringo'r nef;
Pan gilio'r ddau, gwelwn o hyd
  Ei seren lachar Ef.

BYTH YN BATHO

(Cyfweliadau radio gan Carey Garnon[450]
a llinell gan Horas)

I
A gaf ofyn cwestiwn bach personol –
maddeuwch mod i mor hyf:
Pa mor amal fyddwch chi'n batho?
Cofiwch, rwy'n golygu nawr
mynd i'r bath yn gyfan,
trochi'r corff i gyd.
(Sylw priodol gan Drochwr o weinidog.)

II
'Wel, nawr, sefwch chi,
ryw unwaith yr wythnos fel arfer.'
Bob Nos Sadwrn falle?
'Ie, glei, rhywbeth felna.
Cofiwch chi, pan fydd y tywydd yn dwymach
bydd dyn am wneud yn amlach.
Mae'n dibynnu, ychoen, ar yr amser o'r flwyddyn.'

III
Glöwr ych chi.
Mae'n rhaid i chi fatho bob dydd, sbo,
a'r tebyg yw bod popeth drosodd
cyn ichi adel y pwll.
'Ody, mae'r system nawr yn gyfleus iawn
a does dim rhaid parado sha thre
fel rhes o flacs drwy'r pentre.
Ond roedd ambell gysur yn yr hen drefn he'd.
Roedd rhywbeth mwy hamddenol, myn asgwrn i,
mewn twba o fla'n y tân.'

IV

Rych chi fel ffarmwr
yn ots i lawer mewn sawl peth.
Dwedwch nawr, pa mor amal
fyddwch chi'n cael bath?
'A bod yn onest, ryw unwaith y mis –
os ych chi'n sôn am y job cyfan.
Ond mae pob synnwyr yn dweud
bod hanner-a-hanner yn bosib weithie.
Pwy sy moyn yr hen seremoni fawr o hyd?
Weda i beth arall:
does dim daioni mewn batho'n rhy amal –
mae'r peth yn gwanhau dyn,
yn enwedig mewn dŵr twym.'

V

A dyma ffarmwr arall.
Ai tebyg yw'r arfer gyda chi?
'Wel, fe weda i'r gwir:
fydda i byth yn batho!'
Oes gyda chi fath yn y tŷ?
'Nag oes wir. Dyw pob ffarmwr
ddim yn gallu ffordo rhyw ffrils felna.'

Mae hyn yn swno'n od i fi.
Shwd ych chi'n cadw'n lân, te,
os nad ych chi byth yn batho?
'Dyw hi ddim cynddrwg, a dweud y gwir.
Mae 'da ni bistyll ar bwys y tŷ,
a bydda i'n ymolchi fan'ny
yn weddol gyson – dros y corff i gyd.
Mae o fel cawod, welwch chi, –
cawod mewn steil hen-ffasiwn.'

O fons Bandusiae, splendidior vitro![451]

DAU ARAB YN CUSANU

Yng nghaffe'r Arabiaid yn Stryd Fadlen
yn Rhydychen
nid anarferol yw gweld dau Arab.
Ond dyma ddau sy'n denu sylw braidd.
Roedd y naill yma cyn y llall.
Pan gyrhaeddodd yr ail
daeth eurwawr lydan o wên,
y wên sy'n pontio blynyddoedd,
yn hollti'r moroedd.
Ac yna cusan,
un dwys, un gwlithog.
Ac yna coflaid,
un deuol yn ôl y drefn,
bobo ben dros bobo ysgwydd.
A'r llif o eiriau wedyn
sy'n dirwyn yr hynt ers cantoedd.
Daw enw Al-lah yn aml i'r sgwrs.
Diolch Iddo!

CATWLWS O FERONA[452]

'Catwlws druan, ynfyd, rho heibio d'eiriau ffôl;
A welaist ti yn darfod, ni fedri ei alw'n ôl.

Tywynnodd i ti unwaith ddisgleiriaf heuliau serch,
Pan ddeuit lawer siwrnai i'r lle y denai'r ferch.

Ti gofi'r aml ddigrifwch a gawsoch yn gytûn,
Yr hyn a fynnit tithau, ac na wrthodai'r fun...'

Catwlws o Ferona, ciliodd dy heuliau di;
Aeth Rhufain dros y gorwel, mewn angof mae ei bri;

Mae tywyllwch dros yr hollfyd, ac ni bu oes mor erch;
Mwy yw fy niolch innau, disglair yw heuliau serch.

ROSA MYSTICA

(Dyfynnir y llinell gyntaf gan Annemarie Schimmel o'r Qurân mewn llyfr yn cyflwyno dau gyfrinydd o'r India.)

Mae popeth ond Ei Wyneb Ef yn darfod.
Yng nghanol pob dirywiad erys Un
Heb syflyd. Yn y ddrycin pair in ganfod
Heibio'r cymylau ffo y Lloer Ei Hun.

Lle bu pob glendid daeth yr anial diffrwyth;
Lle gwenai'r fflur, mae fflam difodiant maith
Ar waddol oesau; ac eto er pob adwyth
Daw'r Rhosyn Cyfrin i wenu uwch y graith.

Mae popeth ond Ei Wyneb Ef yn darfod.
Dengar yw'r gred, ond trist i lygaid ffydd
Yw'r ffaith na welodd neb y Dwyfol Hanfod.
Tu hwnt yw Ef i'r fflur a'r storm y sydd,

Tu hwnt i'r pasiant lliwgar sydd yn llawn
Wynebau mwyn a welwyd, tu hwnt i'r nef
Sy'n pennu gwyrthiau nos a niwl a nawn.
Ac eto i'r Groes y daeth Ei Wyneb Ef.

MAE FFINIAU I GARIAD BRAWDOL

Mae ffiniau i gariad brawdol, fel y sylwais droeon.
Bu daeargryn yn Nwyrain Twrci
a phentref cyfan ar chwâl mewn mynydd-dir llwm
a miloedd ynghladd dan gerrig a sbwriel
heb obaith dihangfa.

Daeth cymorth, chwarae teg, o'r pedwar ban
a rhuthrodd awyrblaniau yn llwythog
gan fwyd a dillad a chyffuriau
i helpu'r trueiniaid a oedd eto'n fyw
a chodi'r gwan i fyny.

Ond yno, yn y fan a'r lle, bu llestair hynod,
a Llywodraeth y Twrc yn araf
lle bu'r byd mor gyflym.
Ac yn y diwedd daeth y rheswm:
nid Twrciaid oedd y trueiniaid yma,
ond Kwrdiaid
ac at hynny roedd y rhain
yn Genedlaetholwyr ac yn Arwahanwyr,
yn ffanaticiaid Rhyddid,
yn eithafwyr esgymun.
Uffern dân,
doedd y rhain ddim yn haeddu help!

Iesu, yn dy gariad di-ffin, di-geulan,
trugarha wrth ddynion.
Pâr fod daeargryn arall yn dod
er mwyn chwalu'n glwt
y mynydd sy'n poeri tân rhagfarn a gormes,
y Feswfiws yng nghalon dyn.

MAE DAU'N COFLEIDIO

(yn Amgueddfa'r Ashmolean, Rhydychen)

Mae dau'n cofleidio, ryfedd act,
mewn cornel o'r Amgueddfa
ger y mynediad i'r Llyfrgell
wrth arddangosfa fach newydd,
Tirweddau Neolithig yn Neheudir yr Eidal.

A yw'n hollol addas tybed
mewn awyrgylch fel hwn, lle mae doe
yn bwysicach na heddiw,
lle mae celfyddyd hynafiaid y bore
yn disglair israddio campweithiau oesau,
a'r haul o ganrifoedd mentrus cynnar
yn llond y lle?

Wel, rhaid cyfaddef
mai anwes eithaf gwylaidd yw,
cusan tyner ar wefus laith
fel cariadon mewn cerflun
fel Puramos a Thisbe[453] efallai
neu Psuche ac Eros[454]
ond heb unrhyw ymollwng afieithus taer.

A chofiaf i minnau mewn Amgueddfa –
yr un un yn wir –
ymserchu unwaith
a dweud Rwy'n dy garu,
Ich liebe dich[455] hefyd,
ei ddweud yn dawel dawel
o barch i naws y lle
a deigryn bron yn fy llygaid.
Wedi hynny y bu'r cusanu
ymhell o'r cysegr cyhoeddus.
Myn Eros, roedd y cusan hwnnw
ganwaith yn wylltach.

B AM BONN A BEETHOVEN[456]

B am Bonn a Beethoven
lle treuliais dymor Mihangel
a chrwydro Byd Braf Dyffryn Rhein,
Beuel a Bad Godesberg a Bacharach
a'r Sieben Berge, y saith Bryn,
gydag ambell grwydrad draw
megis i Baden Baden
lle bu haul a glasnen yn cynhesu'r eira.

B am Bangor a Betws-y-coed
a Bannau Brycheiniog a'r Borth
heb sôn am Biwmares a'r Bermo.
Maen nhw'n deulu arddunol
mewn dosbarth sy'n ffefryn gan haul yn hir-loetran
neu leuad yn llygadu'n betrus er mwyn blys.
Wnaf fi ddim anghofio, yr un pryd,
y teulu bach mwy gwerinol –
Bethesda Arfon a Bethesda'r Fro,
Bagillt ac Alltyblaca
a Brechfa lle mae'r coed mewn catrodau
ac wrth gwrs Abercwmboi
(pwy oedd yr hen foi tybed?).
Ond yn y dosbarth brenhinol y mae'r Berwyn
a'r Bala dirion deg
lle bwriais deirblwydd y pum llawenydd.

B am Bosse (dwy sillaf), Katinka,[457]
y realydd a'r rhamantydd, yr halen a'r siwgir.
Ynddi hi mae Beti Bwt a aeth i olchi[458]
a Blodwen[459] a Blodeuwedd.[460]
Yr anorchfygol yw hi,
Buddug[461] a Branwen[462] a Brynhild.[463]
Mewn bronnau a bru yr ŷm yn byw a bod.
Yn wir beth yw B
ond Bron ddwywaith,
y llythyren ddwyfronnog sy'n bytheirio'r byd.

III . . . A THRAW

EGLWYS IFFLEY[464]

(Sefydlwyd tua 1170 O.C.)

Er hyned Prifysgol Rhydychen[465] a'i holl golegau hi,
mae yma eglwys a all ddweud
Cyn bod Abraham yr wyf fi.
Pan oedd Thomas Beckett[466] ar ei orsedd
yn Archesgob Caer-gaint
gosodwyd yma garreg ar garreg
a cherflun ar gerflun.
Hwyrach i'r Sacsoniaid addoli yma
cyn hynny
yn y gwyll boreol rhwng Thor[467] a Christ.

Mae bwa'r Norman yma, a'r tŵr sgwâr,
ac aml ymatebiad i oesau diweddarach.
Ac nid oedd yr artistiaid hyn
yn ofni hagrwch.
O'r uchelderau mae ambell wyneb hyll
yn gwgu arnom, os nad yn poeri.
Uwch un porth mae creaduriaid y Zodiac
yn gylch cryno di-Grist yr olwg –
ond na, arwydd yw hyn
bod pob tymp a thymor o dan ei urddiad Ef.

CAESAREA MARITIMA[468]

(Wedi darlith gyda lluniau lliw gan yr Athro R. J. Bull, o Sefydliad Archeolegol Prifysgol Drew, U.D.A., yn y Gyngres Gydwladol ar Efrydiau Patristig,[469] Rhydychen, Medi 1975)

Cesarea ger y môr,
O'r miraglau sydd yn stôr!
Lle bu'r porthladd gorwych heibio'r tonnau glas
Yno Anton[470] ddaeth a Chleopatra uchel dras
I Gesarea ger y môr.

Milwyr Rhufain ddaeth at ddôr
Cesarea ger y môr.
Sain eu dur a foddai sŵn y don,
Herod Fawr[471] er clod i Awgwstws[472] gododd hon,
Tref Gesarea ger y môr.

Cyrchu'r theatr, hwyl yr hil,
Fyddai'r deg ar hugain mil.
Heidiau molwyr meirch o dan haul cras,
Gwyliai'r Hippodromos[473] lawer ras
Yng Nghesarea ger y môr.

Eto clywid seiniau côr
Yng Nghesarea ger y môr.
Canent i Grist a gwyrthiau pur ei groes,
Molent ŵr o Darsus[474] dan ei loes
Yng Nghesarea ger y môr.

Dan y ddaear trefnwyd stôr
Yng Nghesarea ger y môr,
Yna'i throi yn deml i Mithras,[475] anorchfygol wawl,
Ffaglu'r ffydd yn yr ogof, arddel mawl,
Dangos duw uwch allor yn lladd y tarw
Hyd nes y llifai bywyd o'r corpws marw
Yng Nghesarea ger y môr.

Codwyd croes yn y deml hon;
Crist, nid Mithras oedd arglwydd y don.
Os bu'r groes yn drech cyhyd,
Heddiw gwacter sydd a meini mud
Yng Nghesarea ger y môr.

GWAHARDD

(yn yr Hotel des Mines, Boulevard Saint Michel, ardal y Sorbonne)

Ystafell barchus iawn uwch coed y Boulevard
heb fod ymhell o'r cerflun sy'n coffáu
darganfyddwyr *Quinine*;
ac yn y stryd o danom mae pob rhyddid
moes a moeth yn ysgogi'r lluoedd
sy'n mynd heibio.

Nid felly yn y gwesty.
Gwaherddir yma'n bendant.
DIM BWYTA YN YR YSTAFELL
(er talu hanner can ffranc y noson).
DIM GOLCHI YN YR YSTAFELL.
DOES DIM HAWL
I DREFNU YMWELIADAU.
A beth yw hyn, os nad wy'n camddeall?
DIM CARU YN Y GWELY.
DIM TROCHI'R DILLAD GWELY.
Ac *Interdit* am dro yn gryfach na *Verboten.*

Fe'm magwyd i barchu gwaharddiadau
y Deng Air Deddf.
Ond cyn gadael y Boulevard
darniwyd pob un o'r deddfau hyn
yn rhacs.

FEL STRYDOEDD TOLEDO

Fel strydoedd Toledo
yn dirwyn yn gul rhag crasiad yr haul
yn gysgod felly rhag trawiad
fel y strydoedd hyn
mae'r galon sy'n dechrau ymochel.

Ond diolch byth, er eu culni,
maen nhw'n dirwyn i'r eglwysi
i'r orielau a'r trysorfeydd
lle ymguddia
campweithiau El Greco[476]
i'r synagog hefyd a'r saint a fu.

A diolch, y galon sy'n dechrau ymochel
mae hi eto yn ymyl ysblander;
drwy'r culni sy'n cau yn gysgodol
cawn gip am ennyd
ar yr anfarwol uchelion hyf.

O DAN Y COED ACASIA

(Stryd ym Madrid)

O dan y coed acasia ar balmant stryd
mae lliw'r cadeiriau a cheinder byrddau bach
ac ar y myrdd fflatiau fry
rwydwaith o flodau a dail yn ymwáu.
A hithau'n fore Sul a llawer bwyty ar gau
yma y bydd cinio i ni
ac ambell chwa chwareus heb rybudd
yn gwefreiddio'r deilios oll i gyd-ymysgwyd
a chwerthin eu sbri arnom
a gwên y gwas mewn gwenwisg yn cystadlu â'r haul.
Dyw'r fwydlen ddim yn rhodresgar

na'r diodydd
ond byddai'n baradwys fach ddiguro
oni bai
bod y llu ceir modur wrthi o hyd o hyd
yn ffrwtian a rhechan heibio
eu cymylau o fwg petrol.

TI YW'R TORRWR

(Episodyn yn Sbaen, Medi 1974)

Ti yw'r torrwr
dihafal.[477]
Ym Miranda de Ebro
yn yr ystafell wely
y gwnest dy gampwaith;
gafael yn y llestr gwydr tal
uwch y lle ymolch
a'i chwalu'n fil o ddarnau mân
mewn munudyn difwriad o dymestl
dros y basn ymolch
dros y llawr
dros y gwely hyd yn oed.

Buost yr un mor fedrus, chwarae teg,
yn eu casglu.
Pob dernyn yn y diwedd yn ddiogel
mewn cwdyn bach plastig
yn y fasged sbwriel.
Wedi'r storm daeth gosteg
ac o'r chaos
y drefn berffaith derfynedig.

YR EGLWYS DDWBL

(Die Doppelkirche, Schwarzrheindorf)

Hen eglwys o'r ddeuddegfed ganrif
a'r darluniau rhyfedd ar furiau
yn dechrau treulio;
y creigiau caregog wedi eu casglu'n ofalus
yn null amgueddfa
a'u cadw mâs fanna wrth y drws.

Ie, hen eglwys
a phell sawr rhyw gawr o gyfnod
yn anadlu'n drwm drwy ffroenau'r ffenestri.
(Wrth ddod roedd sawr gwahanol
y cytiau moch yn codi.)
I ni mae'r hen yn drysor gwiw.
Ac eto clyw, hanner f'enaid!
Fry mae lleisiau ifainc
mewn cwmwl o olau
yn trydaneiddio'r gwyll.
Mae'r offeiriad yn eu harwain
yn yr ail eglwys fry
mewn emyn a siant.
O quanta qualia...[478]
Et benedictus fructus ventris tui...[479]
In nomine Patris et Filii et Spiritus Sancti.[480]

Suddwyd ni yn ein seddau i lawr
a phan ddaeth yr egwyl i ben
fe wyddem ein dau yn iawn:
y gwefr hyfrytaf mewn eglwys
yw'r addoliad byw,
pur leisiau newydd pêr.

A dyna nhw'n rhedeg adref,
y clwstwr o fechgyn trwsgl
a genethod chwareus;
a'r offeiriad ar eu hôl
a golwg hapus ar ei wedd.
Rwy'n deall pam.

SGERBWD YN Y WLEDD

Mewn bwyty ger Chamartin ym Madrid
y bu'r ymweliad.
Ugain blodeuog wrth y bar
a'u coesau'n lolian,
y merched mewn trywseri lliwgar
a'r bechgyn oll yn braf eu byd.
Ninnau hefyd yn blasu wyau a chig moch
er bod y cig yn uffernol o hallt
ac eraill wrth y bordydd bras.

Yn ddisymwth daeth HI i fewn.
Merch chwemlwydd oed yn llwm ei llinell
a'i choesau matsius
a'i baich o faban yn ei breichiau
yn straen ar gorff llegach.
A dyma hi ar barêd
at holl lolwyr y bar
gan aros ger pob person yn ymbilgar.
Bu ymateb – syndod,
anesmwythyd sarrug.
Ond dim un rhodd
hyd nes cyrraedd merch mewn dillad du
a'i chydymdeimlad hwyrach yn codi
o brofiad diweddar.
Rhoddodd hon y darn arian
a sgubodd yr ymwelydd allan
yn fuddugoliaethus.

MODERNE KUNST[481]

(Hannover)

Daw gwên ar ganol stryd
Lle cerddwn O mor glyd –
Fussgängerzone![482]
Ond pam wyt tithau'n aros
Fel ci Anatiomaros[483] –
Tyrd one!

Mae gennyt reswm mawr,
Mi welaf hyn yn awr:
Celfyddyd gyfoes.
Dirgelwch gwyllt ei lun,
Mae ar ei ben ei hun,
Enigma ungoes.

Pe gallwn innau aros
Fel ci Anatiomaros,
Arbedwn loes
Pe bawn, wrth syllu'n syn
Ar glamp o jôc fel hyn,
Yn codi coes.

PRIODAS YN GODESBURG

(sef Castell Wotan)

Ac yr oedd priodas yn Godesburg
a Mair mam yr Iesu nid oedd yno
na'r Iesu chwaith.[484]

Y Duw Wotan[485] oedd yno,
y Duw hen haerllug;
ef biau'r bryn a'r gaer

a bu yno
cyn codi croes na llan
yn y gwyll heröaidd cyntefig.

Mor uchel fry yw'r tŵr herfeiddiol
fel nad oes modd gweld
beth yw'r faner arno sy'n chwerthin i'r gwynt.
Synnwn i ddim
nad baner yw hi
o arall oes bellennig.

Daeth llu o geir modur, bid siŵr,
i'r briodas bwysig hon
gan chwyrnu mewn gêr isel
ar y ffordd droellog i fyny.
Ond nid felna y daeth y Macwy a'i Riain;
y cerbyd hardd o'r henfyd
a'r ceffylau broc sboncus
tebyg i farch Wotan
a'u cludodd hwy.

Rhyfeddais at y bwyty eang[486]
a gweld, a'm troed wrth y drws,
Geschlossene Gesellschaft:
Cymdeithas Gaeëdig.
Hawdd deall yn wir.

Ar hyn safodd twr o wŷr
mewn cotiau cochion ar uchel fan
a chodi eu biwglau'n barod.
Daeth sŵn gorymdaith y Ddau
a dyma nhw'n cychwyn ar y grisiau
a chân groeso o *Lohengrin*[487]
yn diasbedain rhwng y tyrau hen.

A phan nesaodd y Ddau
yn hoyw eu hwyl

yn benuchel eu hoen
fe sylweddolais
beth oedd wedi digwydd:
Mae Wotan ein Duw ni
wedi dod yn ôl i'w etifeddiaeth.
Mae'r gaer sy'n cusanu'r cymylau
yn ei afael gyhyrog gref.
Disgwyliwn daranau Thor,[488]
ac unir ni â'r cymhelri a fu
cyn Crist a'i drist dranc.

O'M GWELY TRÊN

(ger Mynydd Olympos)[489]

O'm gwely trên gwelais y wawr yn fflam
ar draws mynydd-dir llwm.
Gwelais y cytiau brwyn-a-chlai,
trigfannau'r bugail, a'r aberoedd bach
a sychodd, a'r creigdiroedd fry
sy'n gwarchod y ffordd o'r de
at Fynydd Olympos.
A'r asynnod bychain llwydaidd, gwelais hwy
ac ambell afr
ac ambell wraig mewn du
a'i phen bron yn guddiedig yn null y Twrc.

Ai dyma'r sanctaidd fro lle sangodd duwiau,
lle seiniodd pibau Pan,[490]
lle carodd duw a dyn?
Y ddaear wyllt ni wad ei thras.

Y FERCH O SALONIKE

Gwefusau llawn oedd iddi
  A bronnau fel grawnsypiau ffri;
A nwyf oedd yn ei llygaid
  Pan ddaeth i eistedd ger y lli.

Gyda hi i'r caffe canopi
  Daeth Groegwr ifanc hy;
Roedd cyd-deimlad yn eu hosgo
  Ac eto tristwch rhyfedd sy

Yn tonni i'w gwedd a'i gwên
  A syrth holl olau wallt ei swyn
Dros ruddiau llaith. Cais ef
  Yn ofer ei chysuro'n fwyn.

Ond dyma drydydd wrth y bwrdd,
  A goleua gwên ei bod.
Mae un carwr ar fin mynd
  Ac un arall wedi dod.

A GERDDAIST TI?

A gerddaist ti gyda'th gariad
hyd y Via Sacra?[491]
Heibio i demel y Morynion Santaidd
hyd at y rostrwm lle bu Marc Anton
yn cynhyrfu cyfeillion Cesar.

A gerddaist ti gyda'th gariad
hyd y Via Appia?[492]
Lle cerddodd Pawl Apostol gynt ar siwrne dristach[493]
lle clywodd Pedr her y Quo Vadis?[494]

Buom ninnau, rwy'n ofni, yn llawen –
mewn gardd yn bwyta cig rhost gyda gwin coch
yn y Catacombau'n dal y gannwyll fain
yn chwerthin dan y pinwydd ymbarél.

VALCAMONICA[495]

Cymer fi'n ôl, fy mwyndeg,
at y Villa Rosa, Iseo,[496]
lle gwelsom lun fel Llanfair-ger-y-llyn;
neu at y pentref ger yr eira
uwch Capo di Ponte[497]
lle mae cynulliad cynnes
ger y llinell oer, oesol;
neu i ganol y gyngerdd yn yr eglwys hen
i wrando ceinder Haydn a Vivaldi
a *Largo* George Mulé ac *Asturias*.
Ac aros ennyd hefyd, cyn ffarwelio,
dan gysgod yr aruthredd
gyda Madonna degli Alpini.[498]

EGLWYS GADEIRIOL NOTRE DAME,[499] CHARTRES

Byddai dyn efallai'n siomedig
oni bai am
Ein Harglwyddes yn y Crypt
a gwyrthiau Mair
a'r Beibl a gerfiwyd mewn carreg
a'r tyrau diangof sy'n galw i weddi
a'r dorau sy'n agor
ar dragwyddoldeb.

Byddai dyn heb ei gyffroi
pe na sylwai
ar y drws
a wynebodd wynt y Gorllewin
am fil o flynyddoedd.
Mae'r gwynt o hyd yn chwythu
a'r drws o hyd yn sefyll.

Nid yw mor bwysig fod y gloch hynaf
sy'n taro'r oriau
yn bum tunnell o gawr;
ond y ffenestr sy'n las dwfn,
mae hon yn rhodd y pobwyr,
ac uwch eu basged o fara
mae Mair a'r Angel Gabriel.
A hon, ebe un,
yw ffenestr harddaf y byd,
lle tyfodd gwreiddyn Jesse[500]
nes blaguro o Mair a'i Mab.
Ef yw'r Samariad[501]
ac enfys y cymod,
harddach na lilïod Ffrainc ar gefndir glas.

DIOLCH, A MAWR DDIOLCH

(y Sorbonne, Gorffennaf 1973)

Diolch, a mawr ddiolch, am gael bod
ymysg y Cyngreswyr
a ddaeth yn bedair mil o bedwar ban
i'r Gyngres Gydwladol,
y Nawfed ar Hugain ar galendr yr Orientalwyr.

Eiddom ni yw'r Tocyn Glas
sy'n rhoi mynediad rhad
i'r Louvre a'r Petit Palais[502] a'r Grand Palais[503]
ac i sawl Derbyniad Swyddogol
lle llifa'r gwin a'r siampên.
Os na ddaeth Pompidou[504] i'n croesawu
(nid yw'n rhy dda, meddir)
daeth ei Weinidog Addysg
a dwyn ar gof i bawb
mai Ffrancwr oedd Champollion[505]
yr athrylith a ddatgelodd gyfrinach
hieroglyffau'r Hen Aifft
ym Mil Wyth Tri Dau Anno Domini.

Bu nam, mae'n wir, ar yr agoriad
yn y Grand Amphithéatre:
balwnau'n disgyn o'r balcon uchaf,
cawod o daflenni hefyd
a sgrech fawr
yn erbyn y bomiau newclear
y mae Ffrainc ar fin eu harbrofi
yn Asia Bell.
Hawdd canmol Asia a'i ffydd a'i naws ysbrydol.
Mae'n ddigon cyfleus yr un pryd
i fod yn faes yr arbrofi uffernol.
Ond cipiwyd yr aflonyddwyr
a'u hyrddio allan
ac adfer y golomen heddwch

lle bu'r cwlwm balwnau;
a diolch am gael mynd ymlaen â'r sioe
a'r cinio bras yng Ngwesty Mabillion
a'r swper brasach yn y Résidence Sarrailh.

Ie, diolch am y gwleddoedd
ac yn enwedig am y ffaith
na fu raid cyd-swpera â'r myfyrwyr
yn y RESTAURANT ASSASSIN
(yn ôl graffito ar y mur).
Bu ambell fyfyrgi'n ddigon optimistig
y câi swpera gyda ni;
ond Na,
doedd ganddo ddim mo'r Tocyn Glas.

A diolch, yn olaf peth,
am gwmni'r Dysgedigion.
Mewn sesiwn ac uwch y bwyd
mae eu siarad yn iro'r enaid
a phrocio'r meddwl.
Hwy sy'n gwybod be di be
a faint o'r gloch yw hi
ar gloc tragwyddol ysgolheictod.

GOBEITHIO BOD LLE AR Y TRÊN

(Gorsaf Milano Centrale)

Gobeithio bod lle ar y trên
ac nad Dosbarth Cyntaf yw ei dri-chwarter;
gobeithio na fydd ymladdfa
wrth ymwthio i fewn
(mae haid ar y llwyfan)
ac y bydd lle ar y raciau
i ddodi'r bagiau mawr a'r bagiau bach
a'r amryfal drugareddau
a gesglir wrth deithio.
Hei lwc y cawn le wrth y ffenest
a chael agor y byrddau bach
i flasu danteithion y *cestino*,[506]
y basgedaid gwyrthiol ei amrywiaeth
a brynwyd ar orsaf Milano;
gobeithio'n wir na fydd neb
yn berwi o genfigen
wrth ein gweld ni'n dau
yn ymdaflu i'r ddwy wledd –
y ffowlyn a'r ffigys a'r gwin
a miraglau llyn a mynydd –
a'r cyd-brofi wyneb yn wyneb.
Siawns na fydd stôr o brofiadau
i'w trafod pan ddown yn ôl.

A gobeithio y bydd lle ar y trên
pan awn gyda'n gilydd
rywbryd
heb feddwl am ddod yn ôl.

CYFIEITHIADAU YCHWANEGOL O'R LLADIN

Cyhoeddwyd yn *Cerddi o'r Lladin,* Gwasg Prifysgol Cymru, Caerdydd, 1962, a gasglwyd gan J. Gwyn Griffiths.

LUCRETIUS:[507]
I.80 – 101

CYHUDDO CREFYDD

Ofnaf y daw i'th feddwl, yn hyn oll,
Dy fod ar drothwy dysg ryfygus, ffordd
Anfadwaith: ond yn amlach crefydd ei hun
A barodd anfad a rhyfygus ddrwg.
Unwedd yn Awlis[508] gynt, bu allor bur
Artemis[509] Forwyn yn dwyn ffiaidd staen
Gwaed Iffigeneia[510] o dan archiad erch
Dewis arweinwyr Groeg a'i dynion dewr.
Y gwlân a roed am ei morwynol wallt,
O'r ddeutu ar ei deurudd deuai i lawr,
A gwelai ei thad wrth yr allorau'n brudd
Yn sefyll, a'r gwasanaethwyr gydag ef
Yn cuddio'r gyllell; dyfal arni hi
Y syllai'r bobl ac wylo dagrau dwys.
A hithau, mewn mud ofn, a blygai lin.

Ys truan, yn awr ni thyciai ddim
Mai hi yn gyntaf wnaeth y teyrn yn dad.
Canys gan ddwylo'r gwŷr fe'i codwyd fry
A'i dwyn i'r allor yn ei chryndod gwan;
Nid fel y gallai glywed seiniau clir
Y briodasol gerdd, pan fyddo mwyn
Y wledd a'r ddefod wiw, ond fel y câi,
Yn nhymor anterth pob rhyw draserch ir,
Syrthio yn forwyn bur i ergyd brwnt,
A'i lladd yn offrwm ar orchymyn tad,
Er mwyn i'r llynges gael ei ffafriol wynt
Dan fendith nef. I'r drygau damniol hyn
Y gallodd crefydd gymell dynol ryw.

CATULLUS:[511]
Carmina, 5

"GAD INNI FYW"

Gad inni fyw, fy Lesbia, a charu'n ffri
Ac na bo'n cyfrif yr un chwyth i ni
Sibrydion yr hynafgwyr cul di-ri'.

Gall heuliau gilio a dychwel yn y man,
Ond ninnau, pan fachludo ein golau gwan,
Ni chawn ond un dragwyddol nos i'n rhan.

Rho im gusanau fil, a chant yn fwy,
Yna cant arall, a gwnawn y fil yn ddwy,
Mil arall eto, a rhown gant atynt hwy!

Ac wedyn, ar ôl mynnu miloedd lu,
Dryswn y cyfrif mewn anwybod cu,
Rhag ofn i rywun, o eiddigedd hy,
Wylltio pan wypo pa sawl cusan fu.

STATIUS:[516]
Silvae, 5.4

Cwsg

Tyneraf fab y duwiau, dywed, Gwsg,
    Beth oedd fy mhechod neu fy nghrwydro coll
I minnau'n unig haeddu hiraeth trist
    Am wên dy ddoniau? Y mae'r gwartheg oll

A'r adar a'r bwystfilod mewn dwfn hedd,
    A'r bryniau fel pe'n profi cwsg y blin.
Tawelodd rhu'r afonydd; tonnau'r môr
    Sy'n gosteg eu rhyferthwy ac wrth fin

Y lan gorffwysant. Minnau ni chawn hedd,
    Ei lygaid fil pe rhoddai Argws[517] im,
A gadwai wyliadwraeth yn eu tro,
    Heb unwaith ddeffro'r corff; ni thyciai ddim.

Ond od oes rhywun yn yr hirnos ddu
    O'i fodd a'th wrthyd ac ym mreichiau bun,
Plethedig freichiau ei gariadferch fwyn,
    A lŷn, oddi yno tyrd, dyneraf Hun.

Ni honnaf o'th adenydd gwbwl len
    I'm llygaid; ceisied hyn lawenach llu;
Yn unig tyred heibio'n ysgafn droed,
    Neu gyffwrdd rho â blaen dy hudlath gu.

FYRSIL:[512]
Georgica, 490 – 498

TANGNEF Y GWLADWR

O gwyn ei fyd a ganfu achosion bywyd
A sathru o dan ei draed pob dychryn enbyd,
Didostur ffawd ac Annwn glwth a'i nâd!
A dedwydd yntau a adnabu dduwiau'r wlad,
Pan[513] a Silfanws[514] hen a nymffau'r coed.
Nis plygodd anrhydeddau'r bobl erioed
Na rhwysg brenhinoedd, na chynhyrfus ffrae
Brodyr digariad, na holl heriol wae
Daciaid[515] o Ddonaw'n[518] dod; ni phoena'i fryd
Na stad Rhufain na thranc teyrnasoedd byd.

CYFIEITHIADAU O'R ROEG

Cyhoeddwyd yn *Cerddi Groeg Clasurol*, gol. J.G.G., Gwasg Prifysgol Cymru, Caerdydd, 1989.

SAPPHO[519]

Fe ddaethost

Fe ddaethost a hiraeth amdanat yn llanw fy mryd.
Ti oeraist fy nghalon a'm blys amdanat fu'n llosgi cyhyd.

Methu gwau

F'anwylaf fam, rhaid iti faddau im,
  Ni fedraf ddal i wau y brethyn crai.
Fe serch at fachgen sy'n fy llethu'n llwyr!
  Ar Aphrodite fain, mi wn, mae'r bai.

Y Siom

Aeth y lloer a'r Saith Seren i lawr;
Canol nos yw'r awr.
Mae'r amser yn mynd rhagddo'n ysig,
A minnau, rwy'n gorwedd yn unig.

BARDD ANHYSBYS

Llongddrylliad serch

O annwyl Aphrodite,[520] deyrn y don,
  I'r morwr nodded gwir,
Tyred i'm gwared innau! – daeth i'm bron
  Longddrylliad ar y tir.

CERDDI ERAILL

Daethpwyd o hyd i nifer o'r rhain ym mhapurau J.G.G. Er nad oedd wedi penderfynu cyhoeddi nifer ohonynt, barnwyd bod rhai yn ehangu ychydig ar gwmpas ei gerddi, a lle roedd fersiynau gorffenedig ohonynt ar gael, penderfynwyd eu cyhoeddi yma.

Cafodd eraill eu hysgrifennu ar ôl 1980, a chafodd nifer eu cyhoeddi mewn papurau a chylchgronau. Byddai J.G.G. wedi eu cynnwys yn y gyfrol o'i waith yr oedd yn bwriadu ei chyhoeddi.

Mae nifer o'r cerddi wedi eu hysgogi gan ymgyrchu gwleidyddol, eraill gan ymweliadau tramor, a nifer gan fyfyrio ar hen grefyddau ac ar Gristnogaeth.

Yn ystod y blynyddoedd hyn roedd sêl J.G.G. tros Gymru mor frwd ag erioed, a llawenhâi yn llwyddiant Plaid Cymru yn etholiadau cyntaf Cynulliad Cenedlaethol Cymru yn 1999. Parhaodd i bregethu'n gyson, er iddo gael ei rwystro yn y blynyddoedd olaf gan fyddardod cynyddol rhag cwmnïa fel cynt a rhag mwynhau cerddoriaeth fel y byddai.

Digwyddiad o bwys iddo yntau a K.B.G. oedd ailuno'r Almaen wedi i'r mur ddymchwel yn 1989, a chynhaliwyd nifer o aduniadau teuluol mewn gwahanol rannau o'r Almaen yn ystod y blynyddoedd hyn.

Roedd ei bwyslais ar y gair ysgrifenedig, ac ymroddodd i'w astudiaethau ar yr Hen Fyd gan gyhoeddi rhai o'i weithiau mwyaf swmpus.

Ceisiwyd trefnu'r cerddi hyn yn fras yn nhrefn eu cyfansoddi.

PEDAIR TELYNEG[521]

ALUN MABON

Bu loyw fy ffydd yn llencyn
  Yn edliw i'r ddaear gu
Ei chwyn am gnotiog swmbwl
  Yr angau sy'n ei bru.

Gobennydd oer dibader
  Ni chafodd ddal fy mhen;
Credais yn llw annatod
  Yr etifeddiaeth wen.

Ac ni ddôi haint i haeru
  Uwchben fy ngliniau plyg
Nad oedd yr atgyfodiad
  Namyn ysblander ffug;

Nes dyfod dydd y treiddiodd
  Môr anghrediniaeth oer
I luchio ar bared enaid
  Rym ei gathartig boer.

BYTHOL NOS

"Catwlws, druan, ynfyd,[522]
Rho heibio d'eiriau ffôl;
A welaist ti yn darfod
Ni fedri ei alw'n ôl.

Tywynnodd iti unwaith
Ddisgleiriaf heuliau serch,
Pan ddeuit lawer siwrnai
I'r lle y denai'r ferch.

Ti gofi'r aml ddigrifwch
A gawsoch yn gytûn,
Yr hyn a fynnit dithau
Ac nas gwrthodai'r fun."

Catwlws o Ferona,
Machludodd d'heuliau di,
Aeth Rhufain dros y gorwel,
Mewn angof mae ei bri;

Mae tywyllwch dros yr hollfyd,
Ac ni bu oes mor erch,
Mwy yw fy niolch innau,
Disglair yw heuliau serch.

TEIAU YN Y TYWOD

Na fydd yn swil, fy nghariad,
I droedio'r lloriau llathr,
Cawn ninnau gilio'n fuan
Ac arall ddau a'u sathr.

Ac na fydd or-drugarog
Wrth ddinistr maen a choed;
Mieri lle bu mawredd
Yw hanes tai erioed.

Amser a'i olwyn dawel
A ddwg y deml yn sarn,
Neu ddyn fel daimon distryw
A'i rhwyga'n ddarn a darn.

Ond cadw dy ddagrau gloywon
At alaeth cig a gwaed,
Y babell hon yw'r freuaf:
Dawnsiwch, fyrhoedlog draed!

NIRFANA[523]

Y blodau gwylltion, dedwydd
  Eu byd ger afon werdd,
Cânt wylio'r llif o'r glannau
  A byw yn sŵn ei gerdd.

Pan blygont, fe gânt sawru
  Tywyll lyfnderau'r mwsg,
A daw o'r tryblith deiliog
  Aroma'r meillion cwsg.

At ymyl gŵyl eu gwisgoedd
  Cyrcha'r ewynnog sudd;
Ernes yw'r cusan lleithgu
  O wefr yr uno a fydd.

Rhyw ddydd, ar fore o hydref,
  Nid edwyn neb mo'u lle;
Fe'u ceir yn hoen yr afon
  Yn chwyrlio 'mhell o dre.

I FAZAL MEHMWD[524]

(Ar ôl gweld Pacistân yn curo Prifysgol Rhydychen)

Lle treigla'r afon werdd
Rhwng meysydd mwyth, mae cyffro syn. Rhwydd y rhedi,
A'r dyrfa'n daer. Melltenna'r bêl a syrth wicedi.

Siriol a chu
Rhwng coed y parc fel sain yr ornest hon
Pe na dôi ambell adlais nid mor llon

O fro a fu.
Ac yn dy rodres di, Fazal, mae'r newydd her,
Y nerth a'r nwyd, aur funud yr einioes fer.

Gwelaist y gwir, gymrawd.
Mae'r wers i Gymru a Phacistân yr un:
Rhaid curo Lloeger wrth ei gêm ei hun.

Y RHANIAD

Mae'n drueni mawr i Luther[525] fynnu cerdded mas
a chodi capel sblit. Canys oni bai am hyn
Ceid llun rhagorach ar gyfundrefn ffydd a gras
a lle i Abelard[526] ac Acwin ym Mhant Gwyn.
Ni fyddai raid hiraethu mewn sêt fawr am swyn
Pigfain ogoniant Chartres ac urddas llwyd Tyddewi,
Na gofyn ger yr allor, O pwy sy wedi dwyn
Yr her broffwydol braff? O pwy a barodd rewi
Y gwres a fu'n y bregeth a'r ordinhad? Oni bai
am Luther clywem eto reiol rythmau Lladin
Y Gloria a'r Magnificat. Pob marwol glai
A welai undod dwyfol cred. Ni châi un adyn
Weiddi Lol ar ein haleliwia a Photes ar ein hameniau
Am fod Crist y Grog ar goll yng nghwmwl ein cynhennau.

AR Y MYNYDD

(Maddeued Myfyr Hefin)[527]

Ar y mynydd gyda Duw
O mor drist-gynhyrfus yw!
Dwndwr pechod byd yn glir
Yn cythryblu'r sanctaidd dir.

Ar y mynydd gyda Duw
Dyma aflonydd fan i fyw.
Gweld haul dyn yn cilio draw,
Gweld y nosau hir gerllaw.

Er cael dringo uwch y byd
A chael cwmni Duw o hyd,
Ysig deml y Cristion yw
Gwirioneddau plaen ei Dduw.

Blaenau Ffestiniog
17 Mehefin 1944

YN EGLWYS Y SANTES FAIR, RHYDYCHEN

I addoli yr euthum i yno,
O gywir a santaidd fryd;
A chefais yn ddidwyll d'addoli,
O anwel ddwyfoldeb drud!

O'm blaen plygai'r lanaf o ferched
Yn llonydd fel cerflun mud;
Ac ymgrymais i awdur pob glendid –
Onid Duw a roes iddi ei phryd?

AR Y MÔR

Lliw rhosynnau yn y trochion,
Liliod yn yr asur maith:
Hithau 'mhell dros lafur eigion
Sydd a'i grudd yn llaith.

Lleuad goch yn codi'n dawel
Ac yn lledu bysedd hud;
Sibrwd cynnes yn yr awel,
Hithau draw yn fud.

Mynwes fawr y dwfn yn chwyddo'n
Gannaid wyn gan gynnwrf llon:
Hithau draw heb fodd arwyddo
A gynhyrfo'r fron.

UNWAITH ETO[528]

Unwaith eto, Gymru annwyl!
Cefaist oruchafiaeth fawr;
Gwych Lywodraeth y Blaid Lafur
Sy'n dy arwain at y wawr.
O mor hyfryd yw dychmygu
Am y fraint a ddaw cyn hir –
Diwrnod cyfan yn flynyddol
I gynllunio llwydd dy dir.

Unwaith eto, Gymru annwyl!
Daw i aberth wobr deg:
Holwyd cannoedd o gwestiynau,
Er dioddef rhoch a rheg.
O mor loyw yw'r rhagolwg,
Megis oren heb ddim *pips*,
Papur Gwyn a gawn bob blwyddyn –
Dyna fantais i'r siop *chips*!

I ANEIRIN AP TALFAN[529]

'Roeddem yn barod i dosturio'n dirion
O weled dy gynlluniau oll ar chwâl.
A thithau'n gwelwi mewn nosweithiau hirion
A'th eiddo'n lludw llwyd, heb na thŷ na thâl!
Tosturier wrthym ninnau'n fwy! Mewn cul
Ddefodaeth glynwn wrth bob Mamon slic,
A thithau'n canu anofidus gnul
Y mân lwyddiannau sydd yn gwneud y tric.
Tynnaist orfoledd o'r adfydus hap,
A'th antur sy'n ddi-drai dros Gymru a'i llên
Fel bwrlwm ffynnon bur. (Fel dŵr y tap
Fe'n dirisialwyd ni mewn pibau hen.)
Oddi ar ymylyn dy ffiolau, frawd,
Llifed rhyw ddefnyn atom ninnau'r tlawd.

BWYTA

(i gyfaill)

Tric gwael oedd hwnnw gynt,
dy lusgo i gae ar Fryn y Baedd
a'th orfodi i fwyta –
bwyta dy garthion dy hun,
yfed dy bisddwr dy hun,
bwyta dy had gwrywaidd dy hun.
Hogiau haerllug o Merchant Taylors oedd y tri,
hufen ysgolion bonedd y Sais.

Mae bywyd drwyddo yn haerllug
ac er inni osgoi systemau sgwrio'r ymennydd
gall bygythion ariannol ac ofnau annelwig
rewi'n glwt y delfrydau a fu'n fflam dân.
Rhaid ystyried pob canlyniad posibl:
beth fydd barn y pwyllgor llywodraethol?
a fydd y cyfraniadau'n lleihau?
beth fydd yr adwaith yn lleol?
heb sôn am y cwestiwn cychwynnol:
a fydd y wraig yn cydsynio?

Diolchaf drwy'r cyfan am hyn:
ni lwyddodd neb i'th orfodi
i fwyta dy eiriau dy hun.
Geiriau dewr dy addunedau
i Grist ac i Gymru.

MAGLAU YN Y MÔR

(I Tom Williams, Abertawe, sy'n gallu gweld Lloegr, dros y môr, o'i wely)

Draw dros y môr, pan ddelo bysedd rhudd
Y wawr Homeraidd, ti gei weled coes
Hen wlad y gelyn. Wedi'r neithdar cudd
A Chymru'r breuddwyd, wele'r deffro croes.

Ie, yno y mae o hyd, crud oesol a chaer
Gorchfygwyr Cymru. Hil Hengist sur
A bair it grychu'r ael foreol. Taer
Y mynnet ddifa'r ffaith, ond erys cur

Y drem bob bore o'r newydd. Na flina, ffrind,
Mae gennyt gymar yn dy ffydd, a dôr
Y dydd yw trothwy'r gwaith dros ryddid. Mynd
Fel ffidil wedi'r ffair wna maglau'r môr.

'RHAI DRUD YW GWERSI PROFIAD'

(Fy nai, Alun Wyn, o Seilo, Llanymddyfri, mewn sgwrs)

Deil gwersi hon mewn grym
fel hon:
A heuo dyn,
hynny hefyd a fed efe.[530]

Hau rhyfel, medi rhyfel.
Aneirif yw'r gwersi
a fu ac y sydd
a'r gost mewn miliynau o gelanedd.
Dioddef yw dysgu: pathein mathein.[531]
Ie, rhai drud yw gwersi profiad
a'r drutaf yw'r rhai y methwyd eu dysgu.
Ysgolfeistres lem oedd Hiroshima
ond erys Dyn y Disgybl
yn dwp a dall
a dyfodol ei hil o hyd yn y fantol.

Meddai Vegetius[532]
Si vis pacem, para bellum:
Os mynni heddwch, darpara ryfel.
(Hanesydd milwrol oedd ef o Rufain,
sgwlyn o'r hen ysgol imperialaidd
yn sgrifennu gwers mewn gwaed.)
Gellid disgwyl iddo fe siarad felna.
Quod erat expectandum.

Symlach yw'r gwir:
Si vis bellum, para bellum.
Os mynni ryfel, darpara ryfel.
Ac yn bwysicach,
Si vis pacem, para pacem.
Os mynni heddwch, darpara heddwch.
Yn y Dwyrain anffyddol
y mae dysgwyr dyfal y wers hon.
Ex Oriente Lux.[533]

RHO I MI'R TOCYN IAWN

O Arglwydd Famon, o'th arfaeth ddoeth,
  Rho i mi'r tocyn iawn,
Y tocyn a'm dwg i mewn yn siŵr
  Gyda'r bleidlais un-bloc llawn.

Mewn dyddiau gynt bûm yn deisyf dro
  Am fod yn gryf ac yn graff.
Y fath gybôl! Y tocyn sy'n rhoi
  Dyn yn y Senedd yn saff.

Dysg fi, O Famon, nad mater o foes
  Yw gwleidyddiaeth yng Nghymru wiw;
Dysg fi mai'r tocyn yw'r ateb clyd;
  Nid yw egwyddor ond chwiw.

Dyna ffôl y bûm, fendigaid Lo,
  Yn bustachu â thocyn glân
Rhyddid i Gymru a hawliau'r iaith:
  'Roedd yr ernes o hyd yn y tân!

Gwelais mor aml yn drist eu gwedd
  Y rhai arbenicaf eu dawn.
'Roedd achos eu siom yn gwbwl glir:
  'Doedd gynno nhw mo'r tocyn iawn!

Gyda'r tocyn daw'r parti-lein, bid siŵr;
  Rhaid ei barchu fel Rhodd Mam;
Bwrdd Dŵr i Gymru? Rhaid dweud NA –
  Ac IE i'r gwaed yn Viet-nam.

Pethau bychain yw'r rhain – ond i feddwl sur
  Y detholedig glic;
Galwant fi'n asyn, yn dotem-pôl.
  Pa ots? Mae'n gwneud y tric.

Fendigaid Lo, deuai tro, mi wn,
  Ar y tocyn hwn pe trewid
Y rheolwyr y sydd ag anffawd. Ond
  Beth sy'n rhwystro dyn i newid?

OLCHWYD CHWI?

Olchwyd chwi?
Yn y gwaed?
Olchwyd chwi yn y gwaed, gwaed yr Oen?
A dod allan wedyn
fel yr eira ar y bryn
fel y dillad ar y lein
yn wynnach na gwyn
drwy rin y Persil dwyfol?

Byddech yn disgwyl i waed olchi'n goch;
ond na, mae dewiniaeth yma,
mae hud a lledrith yn trawsnewid lliwiau.
Rhyw ffynnon ryfeddol o waed
yw hon; mae'n datblygu'n swyngyfareddol,
canys hon
yw Twbyn Golchi Calfari.

Mae hanes, mi wn, i'r ddarluniadaeth.
Yn wir mae sail ysgrythurol i beth uffern o stwff
sy'n gelwydd yn yr enaid
megis
GWYN FYD A GYMERO DY RAI BACH
A'U TARO WRTH Y MEINI
neu'r mynych sôn
am Iahwe'n gorchymyn llofruddio
dynion a gwragedd a phlant ac anifeiliaid –
ei greaduriaid ei hun.
Bûm yn euog dro o addoli eilunod,
ond nid yr eilun hwn:
'Yr Ysgrythur Lân a roddwyd drwy Ddwyfol Ysbrydoliaeth.'

Rhaid cael aberth i buro.

Rhaid cael aberth i fodloni'r duwiau.
Tystied Isaac ac Iphigeneia.
Clir fel y grisial oedd ffynnon Bandwsia
ond rhuddwyd y bwrlwm pur
gan waed yr afr.[534]

Rwy'n dal i ystyried ar ambell orig od,
hyd yn oed weithiau mewn ambell Gymun,
beth a ddigwyddodd ar y bryn.
Mae S.L. wedi rhoi ei fys ar elfen wir
pan sonia amdano'n marw
'yn ei gignoethni ac yn ei faw'.
Y gwaed yn y diwedd yn ceulo, y suddau'n disgyn,
a'r carthion hefyd o dair croes
a drewdod yn difwyno awel y cyfnod
ar y llethrau uwchlaw'r palmwydd.
Cymysgu iaith yn rhan o'r amalgam hagr; –
Lladin a Groeg y milwyr, Aramaeg yr Iddewon,
a llefaru un adnod Hebraeg o'r Groes Ganol,
heb sôn am dair iaith swyddogol-glasurol
y placard fry
lle dedfrydwyd gwladgarwr ifanc
IESU O NASARETH, BRENIN YR IDDEWON.
Llythrennau llachar yn costrelu hanes.

Ai stad ffŵl astudio ffaith?
Eto cofiaf weddi dechrau'r daith:

Dyfod, Arglwydd, rwyf,
Dyfod atat ti.
Golch fi'n burlan
yn y gwaed
a gaed
ar Galfari.

Fe'm codwyd yn sŵn y Twbyn Golchi.

NADOLIG YN Y CARCHAR

(i Geraint Eckley)[535]

Ai dyma'r ffordd i gadw'r iaith,
Hwliganiaeth a thor-cyfraith?
Rhaid parchu'r Ddeddf
Boed lon boed leddf,
Cans dyma nod Gwareiddiad y Gorllewin
O gorun ei ben hyd at ei isaf ewin. (Rhwng lladron ceir rhyw nefol lewyrch, a chwysu rhwng y chwain;
A phwynt bach arall, un dibwys am wn i:
Haearnaidd ddeddfau'r Sais yw'r rhain,
Ac nid ein deddfau ni.)

Dirwy yw dirwy i bawb yn ddiwahân.
Pa hawl sy gan UN i gadw'i grys yn lân?
Agorir drws i draed-mochedd pryfetach yn y gwŷdd
Os caiff UN dorri'r ddeddf a mynnu bod yn rhydd.
A yw yr iaith yn esgus i bob rhyw danllyd rysedd
A hawl yn hon i bawb a'i mynn i beidio â llosgi bysedd?
(Ffantasi oedd dy garol uwch y cawl seimllyd a'r coco trwm bromidaidd.
Ond testun hoen yw UN, megis Daniel yn y ffau
Ac unigrwydd herfeiddiol Promethews[536] a'i gamp byramidaidd
Heb sôn am Iesu yn y preseb – ac ar y groes rhwng dau.)

MAE'R OEDFA DROSODD[537]

(yn Eglwys Sant Siôr, Hen Gairo, Sul y Blodau, 1976)

Mae'r oedfa drosodd; daethom yn rhy hwyr.
Tywyll yw canol y deml
ac nid oes olau ymysg llu canhwyllau
Sieceina'r[538] trydan.
Tynnwyd rhaff yn wir i gadw'r seddau rhag ymwelwyr
ffwdanus fel ni.
Dim ond fry yn y cwpola eofn
y treiddia'r haul i daflu gwawl
ar batrymau croes a chylch –
ond pan fydd cwmwl o arogldarth
fel niwlen yno'n esgyn,
fel mwg mewn sinema.

Llachar o hyd yw sglein eiconau
a daw'r ffyddloniaid atynt hwy yn fud
gan dynnu cadach dros y llun
i symud llwch
cyn plannu'r cusan gŵyl ymlynol.

Ac yno, mewn capel o'r naill ochor,
mae oedfa arall yn dechrau:
mae gwas yr offeiriad yn rhannu'r eli
sy'n gwella pob rhyw glwyf.
Wedi derbyn hwn
mae'r saint yn troi i gornel dywyll,
yn rhwbio'r eli'n ddirgel
ar goes, ar fron,
ar fol, ar wreiddyn serch,
ar ruddiau merch, ar wyneb plentyn,
a'r weddi dawel yn cyd-fynd
â'r weithred dawr.

Mae rhywrai'n credu o hyd
fod balm yng Ngilead[539] Crist a'i saint;
bod yno ffisigwr
sy'n abl i iacháu.

IS-ETHOLIAD TREFOL YN ABERTAWE

(I Guto Gwent)[540]

Ar y bryn fry uwch y bae
Clywir Catraeth o sŵn a swae.
Llwyth ar lwyth o filwyr Guto'n cyrraedd,
Dim bom ond digon o bapur –
pedwar ymweliad â phob tŷ.
Cafodd deg o hafau hael asurlon
eu gwasgu i bythefnos.
Y gorfoleddus ifanc sy ar waith.
("Fotiais i Lafur am hanner can mlynedd.
Wnaethon nhw ddim drosto i.
Fotia i byth eto i'r diawliaid!
Nac i neb arall chwaith.")
Ar y bryn fry uwch y bae
Caed ambell groeso, ambell ffrae.

At y twyni fry uwch y tonnau
Daw'r llu canfaswyr digynffonnau.
Ebe'r cigydd, Dyma nhw, blydi Plaid Cymru eto,
maen nhw'n ddigon o farn.
Cafodd air â'r Pensaer[541] enillgar
a synhwyro bod rhyw wynt yn chwythu o rywle,
o gyfeiriad Kitchener Davies efalle.
("Na, dyw Cymru ddim yn cael chware teg.
Ond fe fotiwn i i Gwent p'run bynnag –
mae'n ifanc, mae'n egnïol,
y stwff sy ishe ar y Cyngor.")
Beth yw traddodiad cenedl ger tragwyddoldeb?
Wel, rhodd Duw, ac mae E'n anfarwol oes bosib.
Daw'r tröedigion, yr aelodau newydd,
i gysuro rhai; dan las y ffurfafen hon
mewn dail a drain, heb anghofio'r mynych gŵn
sy'n gyson siriol, hawdd yw hoen.

Do, cadwodd Llafur y sedd.
Ni oedd yr unig blaid i gynyddu ei rhan,
a hynny'n sylweddol.
Mae tipyn o ffordd eto, bid siŵr.
Ond mae Cymru gyda ni uwch y tonnau
Yn ir ei gwên, yn bêr ei bronnau.

BETHLEHEM 1980

Ar derasau uchel yr ymsytha'r dref
uwch sgwâr golau eang
ac Eglwys y Geni'n ganolbwynt
– i ganolfuriau gwahaniaeth.
Yr Eglwys Roegaidd
Yr Eglwys Rufeinig
Yr Eglwys Armenaidd
yn cystadlu mewn defosiwn i'r Ceidwad
a anwyd yma.
Neu rhown wedd fwynach: gogoniant amrywiaeth.

Rhywle i lawr acw
ceir 'Maes y Bugeiliaid',
di-wawl heddiw, di-ogoniant.
Ar y ffordd o Hebron roedd bryniau Tecoa
lle bu Amos[542] yn bugeilio
ei ddefaid a'i ffigys gwylltion.
Ac ym Methlehem ei hun
yn ôl Shmwel ein hyfforddwr
dyma fedd Rahel, gwraig Jacob – ei hoff wraig.
Heb fod ymhell mae bazâr moethus
lle prynodd Katinka ddwy *menorah*
(canhwyllarn seithbren)
a minnau'n bodloni ar fodrwy
a Seren Bethlehem arni;
nage, Seren Dafydd gyda'r triongl dwbl.

Pa le mae naws y nefol hedd
a sawr y stori gynt?
Echdoe cafodd chwech o lanciau
yn Kiriat Arbah ger Hebron
eu lladd
ar eu ffordd o'r Cwrdd Gweddi.
Dan gabl y mae Maer Bethlehem.
O'r saga hen
erys un alaeth oer yn ir:
Rahel yn wylo am ei phlant.[543]

MACHLUD

Ers tro ni bu machlud mor goch
mor ddwfn-goch uwch tŵr eglwys Sgeti
yn ddyfnach ar linell y gorwel
nes teneuo'n ysgafn
fel adlais o gân yr haul hoenus.

Diwedd Hydref? Bu'n loddest o ddydd
a gwin yr hwyrddydd yn gwpan hael
diwarafun, *So ein Tag!*[544]

Y fath ddiwrnod yw hwn
ni ddylai'r heddwch fyth ymadael.
Ac eto mae'r rhuddwawl heno
yn dwyn ar gof
rywbeth tristach na gwin –
gwrid gwaed a wlychodd
welyau yn Beirŵt
a maes awyr yn Grenada.

23 Hydref 1983

CÂN, ADERYN, CÂN[545]

(Digwyddiad ym Mharc Cwmdoncyn, Abertawe, brynhawn Sul, 16 Mehefin, 1985. Cyflwynedig i Bobi Jones i gofio'r 'cacata charta' a gyhoeddodd unwaith yn *Y Fflam*;[546] a chydag ymddiheuriad i Eben Fardd.)

Ydyw, mae'r peth wedi digwydd.
Ar y garreg sanctaidd[547]
lle torrwyd geiriau Dylan yn y parc
Oh, as I was young and easy
in the mercy of his means
(Cynghanedd Sain ar funud fer
yn null Gerard Manley Hopkins).[548]
Yma ar y garreg sanctaidd
cachodd aderyn.

Anhardd y drewi unawr,
Caca'n staen ar y maen mawr.[549]

Aderyn felly yn dirmygu'r bardd –
y bardd na ddysgodd sut i fyw
na sut i farw
(onid celfydd oedd y marw meddw
mewn dinas bell,
qualis artifex periit)[550]
dim ond sut i ganu.

Didaro, fodd bynnag, yw nod aderyn.
Hwyrach mai eos gerddgar oedd hon
yn rhoi ei bendith wrth fynd heibio
fel offrwm cyd-ganiedydd.[551]
Cachfa wen ar garreg lwyd
yn graith ar gerdd
ac eto'n deyrnged.
A hithau'r eos yn dal i ganu.
Cân, aderyn, cân!

GAD INNI YMATAL

Gad inni ymatal, Barbro,
a charu'n unig yn yr ysbryd
yn y dull a gysylltir,
yn rhyfedd braidd,
ag enw Platon.

Wedi'r cyfan
nid ar strydoedd Stockholm
y gwelais di gyntaf
yn ferch sy'n cyplu'n rhwydd
am dâl.
Nage, yn y Cysegr Sancteiddiolaf
y gwelais di,
yn y *Gustavianum* ei hun,
pencadlys prifysgol Uppsala.
Disgleirferch yr Adran Eifftolegol
[oeddit ti],
dihalog, pur, dawnus
yn medru p'un iaith fodern
heb sôn am gorawd ieithoedd
yr henfyd.

Gyda'r Rector Magnificus[552]
a'r Ysgol Ymchwil
y mae dy le.
Mae'n wir inni ymdwymo fymryn
at ein gilydd
wedi drachtio o'r gwin coch
a chyd-foli hen gelfyddyd Holandaidd.

Gyda ni roedd Katinka, fy anwylyn am byth,
yn cydlawenhau.
Ie, gwell inni ymatal.
Edrych, syllu, chwerthin
heb gyffwrdd o gwbl.
Dim ond gwasgu llaw.

CARU DWY

Gwin coch a gwin gwyn
suddau oren a lemon a cheirios
Frau Hoether o Helsinki
yw'r fflashen mewn gwisg goch newydd sbon
a Hoether ei hun
a bow dici du
y mynydd o ddyn.

Ymysg y rhain mae
Sirius[553] ym mysg y sêr
Barbro Llif y Môr
A dyma Katinka gyda mi
a Svetlana ac Edith Varga.
Onid Katinka a ddywedodd
Rwy'n caru tair yn ffyddlon,
Wel, dwy beth bynnag.

NOS YN Y BRYNIAU

(Er cof am y Sgotes Wendy Wood. Wedi cael te yn yr Ystafell Gron yng Nghaeredin, lle mae Plaid Genedlaethol Sgotland yn cynnal y cof amdani; ac wedi darllen ei cherddi, *Astronauts and Tinklers* (Caeredin, 1985), ei llyfr olaf.)

Cafodd hi brofi rhin
y nos yn y bryniau.

Do, gwelodd y nos yn y bryniau
er tywynnu o'r lloer ei hambr
a'r grug fel gwin, gwin
wedi ei golli dros y ddaear ddu.
I'r byd tywyll daeth awgrym
o hedd, a'r duw Pan[554] yn ben
a thithau'n cadw oed ag ef –
Pan y cythryblwr
a barai i'r traed redeg
eu rhawd gwyllt dilyffethair
ac yna aros
yn llonydd iawn
er ffustio o'r gwaed.
Yno yn nos y bryniau
y duw Pan a fynnai ei ffordd
ac awel y nos
yn anadl oer dan y syber sêr.
Do, daeth nerth i gynhyrchu
yn nos y bryniau.
Dyna ei phrofiad hi.

Ac i'w chalon ni ddaw gorffwys
   Nac arial i'w henaid taer
Hyd oni cheidw Sgotland
   Yr oed â'i rhyddid claer.

Medi 1985

Y MÔR MEWNOL

(Wedi edrych ar y môr yn Barcelona ac ar waith mewn Catalaneg gan y bardd Carles Riba)[555]

Clywodd ef sŵn rhyw fôr mewnol
yn dod yn nes
yn ddwfn yn y galon
yn ymaeddfedu
i fod yn ynysoedd o fiwsig diymadferth –
môr a gwynt y môr.

O'r môr allanol yma
gellir crwydro ymhell
(dyma gerflun Colwmbws[556] yn ymyl).
Ynysoedd y môr mewnol
afreolus eu cerdd
tu hwnt i fap a phegwn a chwmpawd,
annirnad eu naws.
Peryglon pêr sydd ynddynt
ond heibio i golofnau Heracles[557]
gall fod
talentau hud Atlantis.[558]

Medi 1986

GINERVA DE BENCI

(Darlun gan Leonardo da Vinci sy'n awr yn yr Oriel Genedlaethol yn Washington, U.D.A.)

O bryd i'w gilydd yn y ffrontistêrion[559]
byddaf yn edrych arnat
o'r ddesg neu o'r soffa
at y fan fry uwch y silff-ben-tân.

Rwy'n gyfarwydd bellach â'th berson:
yr wyneb sy'n syllu drwy ffrâm coeden ferywen
(a dyna, meddir, yw ystyr Ginerva)
heb sylwi ar y coed a'r afon draw.
Gwallt cochlyd golau a'r wisg yn goch
gyda sgarff ddu
a thorch gwddf ysgafn yn dirwyn i lawr
at raniad y bronnau.

Mae'r gwallt wedi ei haneru'n daclus
a'r diweddebau blaen yn gyrliog neu fodrwyog.
Y talcen yn llydan eang
unwedd â Katinka.
Ysgwyddau llyfn, trwyn hir; gwefusau gweddol dynn,
ond cyfyd cwestiwn:
ai gwefusau pwdlyd, dirmygus yw'r rhain?
Eto mae'r llygaid yn dawel oeraidd
a gwell gen i gredu
mai naws fyfyriol sydd i'th drem.
A chofiaf mai bardd oeddet ti!
Lodes lân heb wên y Mona Lisa
yn distyll o'r ferywen
syberwyd a serenedd.

Dyna'r rhin: rwyt yma'n teyrnasu'n awr
(dim ond copi, wrth gwrs)
goruwch y silff-ben-tân
yn y ffrontistêrion.

YN Y KREMLIN ANNWYL

Unwaith eto yn y Kremlin annwyl
mae syniad gennyf ger y Maes Coch
wrth edrych ar y llawr carreg eang
pam y mae'r cyfan
mor ysgubol o lân.
Onid yma yn y bore bach
y bu byddin o wragedd cyhyrog
pob un â gwrach o frwsh hir
yn ysgubo, ysgubo
pob llychyn bant?

Ond dyma ysgytiad:
un bonyn sigarét ar y llawr
lle cerddem!
Ac ebe Toya Skolova
tywysydd y Weinyddiaeth
Rhaid mai Americanwr neu Sais
a wnaeth beth fel hyn.
(Roedd hi'n deall yn iawn erbyn hyn
nad Sais oeddwn i.)
'Fuasai Rwsiad byth yn breuddwydio
gwneud peth felly.
Bydd rhai cenhedloedd yn dal o hyd
i luchio sbwriel yn ddifeddwl.
Nid felly gyda ni.

Heibio i'r glanweithdra
hawdd deall parch y Rwsiad
canys y lle y mae'n sefyll ynddo
sydd dir sanctaidd.
O Rwsia fendigeidwiw!
Mae cyn-eglwysi
yn gwawl-gysegru'r fan
â sglein eu cribau crwn
ond mwy yw gwawl

apotheosis[560]
y meidrolyn mawr
Vladimir Ilitsh
Lenin.

Medi 1986

NATALIA PETROFNA

(wedi gweld darlun o'r actores a fu'n chwarae ei rhan ym *Mis yn y Wlad* gan Twrgenef yn Leningrad yn 1903; ac ystyried eto rai o'i geiriau. Mae'r darlun i'w weld yn Amgueddfa'r Theatr, Leningrad.)

Llygaid tuag i lawr
a'r dwylo'n troi pigyn isaf
y parasol.

'O chi ddynion clyfar,
mor brin o ddeall gwir
er maint eich treiddgarwch.
'Welaf fi ddim hynod yn hyn,
bod merch yn gallu caru dau.
Gallai ddigwydd i unrhyw un –
cymylau bach yn tawel nofio
dros y ffurfafen.
Ti a mi, mae gennym hawl
nid yn unig ar ein Arcadia[561]
ond i edrych y byd yn syth yn ei wyneb.

'Eto byddi weithiau'n ocheneidio mor ddwfn –
fel rhywun wedi blino, wedi blino'n erchyll,
ac yn methu cael gorffwys.
Mae Natur yn symlach,
yn fwy amrwd nag a gredi di,
am ei bod, diolch i Dduw, yn iach!
Ni fydd coed bedw yn toddi,
ni fyddant yn llewygu
fel merched â nerfau gwan.

Does dim mor ddigalon â meddwl di-hoen.

'Rwy'n teimlo 'mod ar ymyl dibyn –
O achub fi!
Os mynd i ffwrdd a wna ef
Beth fydd wedyn i fyw er ei fwyn?
Ie, am hedd a rhyddid yr wy'n hiraethu.
A oedd gen i hawl
i wasgu'r egin flodyn
a'i ddamsang dan draed?
Ydw, rwy'n dy garu,
ond mae ef yn mynd i ffwrdd
heb ffarwelio hyd yn oed.
Mae'r un arall, mi wn, yn ddyn gwych –
rych chi i gyd yn ddynion rhyfeddol o wych!'

Pwy sy'n siarad?
Medd y Marcsydd:
Un o'r methdalwyr moesol,
blinedig dirywiedig
o gyff y cyn-uchelwyr,
creiriau o fyd sy'n diflannu.
A'r tro hwn mae'n iawn, siŵr o fod,
er mor hardd ei dagrau hi.

Medi 1986

CARWRIAETH[562]

I.

Mae'r byd yn llawn o ryfeddodau.
Bu ynddo fyrdd o anifeiliaid a physgod
cyn dyfod dyn erioed.
Bu peth creulondeb a phoen, do,
ond mae'r pwrpas mawr yn aros.

II.

O blith y rhyfeddodau, gredaf fi,
mae carwriaeth y corynnod, y pryfed wythgoes,
yn gampwaith.
Corren fawr nwydus
yn aros am ei charwr bach
yn disgwyl amdano, yn cyd-gyffwrdd
nes dyfod acme derbyn yr had.
Ni charodd neb fel hon
a blas ei blys yn ddiderfyn
nes yn y diwedd
mae'n llyncu ei charwr yn gyfan
ei fwyta a'i flasu
hyd waelod perfedd.
Dim ond ambell wryw bach buandroed
sy'n llwyddo i ddianc rhag traflwnc hon.

III.

Cafodd ein Mam Nefol, gredaf fi,
dipyn o sbri
wrth drefnu hyn
fel rhan o'i phwrpas mawr.
Yr hon sy'n preswylio yn y nefoedd
a chwardd.
Cofier, wrth gwrs: os marw yw'r carwr
epilia ei had.

1988

KATINKA REDIVIVA[563]

(20 Ebrill 1988)

Yn siriol mewn gwisg olau las
i'r Ysbyty yn Nhreforys yr aethost
a dod yn ôl gyda gwên –
'Chi yw'r gorau o'n cleifion!'

'Adferiad llwyr a buan'?
Llwyr, ie, gobeithio,
ond nid mor fuan.
Tri mis mewn plastr
yn fawr d'amynedd.
Tithau yn mynnu o'th gaethiwed
gael meistroli'r Amstrad,
a minnau'n cael gweini a siopa,
Dy Ufudd Was,
a phrofi'r golchwr-sychwr newydd
(Y Ddraig o Ferthyr)
a choginio dan gyfarwyddyd.

Mor hardd yw'r wên orchfygol
sy'n anghofio'r gwaed a lifodd.
'Rwy'n credu bod rhywbeth wedi torri...'
Heddiw mae'r coed lelog a cheirios
yn eu blodau i'th gyfarch.

FFWNDAMENTALWYR

Tair gwlad

I Gweriniaeth yr Aifft

Yn Heliopolis mae fandaliaid swyddogol
â'u teirw dur
yn difa hynafiaethau'r pum mil blwyddi.
Popeth cyn dyfod Islâm, dibwys yw,
a daw bendith y Frawdoliaeth.
Adfer Sharia yw'r gri –
gorchuddion ar ferched
a thorri dwylo lladron bant.

II Yr Unol Daleithiau

Yn gefn i Bush a'i bobl
y mae'r Efengylwyr –
nid Efengyl Iesu
ond Efengyl yr Armagedon.
Croeso i bentyrru'r llwythi newclear
ar gyfer y frwydr honno.
Bydd gwaredwr buddugol wedyn yn teyrnasu
ar anialwch o fyd.

III Cymru

Ganwaith barchusach
yw'r darlun yma.
Dim anoddefgarwch ffanatig,
Dim poeri sen ar gredinwyr,
Dim ymwahanu hyd yn oed.
Yma mae llythrenoliaeth wedi troi
yn Galfiniaeth glasurol.

TEITLAU'R CERDDI

NODIADAU

1 Tachwedd 1947; gw. Emyr Hywel (gol.) *Annwyl D.J.*, Y Lolfa, Talybont, 2007.

2 *Defosiwn a Direidi,* Gwasg Gee, Dinbych, 1986.

3 Ceir awgrym o hyn gan Rhydwen Williams, "'Roedd pethe eraill yn ein capel ni ar wahân i bregethu, wrth gwrs. Drama, cwrdd gweddi, côr, cwrdd plant, *penny readings,* heb anghofio'r operâu lliwgar, *Il Travatore, Bohemian Girl, Blodwen, Ymgom yr Adar*!" *Gorwelion*, Llyfrau'r Dryw Newydd, Llandybïe, 1984, t. 20.

4 "Capel Moreia… lle'r oedd Mr Gruffydd (*sic*) yn weinidog, pregethwr mwya'r byd. Pulpud fel llong fawr. Rhyw fath o lwyfan. Yr unig lwyfan y gwyddwn i amdani. Atyniad! 'Roedd gweld Mr Gruffydd yn ei bulpud bob Sul yn cael y fath ddylanwad ar bobl – denu, dyrnu, hudo, hyrddio, suo, siglo, tynnu coes, tynnu dagre… Aeth dringo i bulpud Moreia yn uchelgais." *Gorwelion*, Llyfrau'r Dryw Newydd, Llandybïe, 1984, tt. 19 – 20.

5 Medd D. Densil Morgan, yn *Pennar Davies,* Gwasg Prifysgol Cymru, Caerdydd, 2003, t. 12, "Gwyn Griffiths a'i cymhellodd pan oedd y ddau ohonynt yn fyfyrwyr yn Rhydychen i ddechrau arfer sgwrsio yn Gymraeg."

6 Mae angen cywiro rhai gwallau gan D. Densil Morgan yn ei lyfr ar Pennar Davies. Nid oedd Käthe Bosse yn fyfyrwraig yng Ngholeg Somerville (t. 54): gweithiai yn yr Ashmolean. Nid oedd Käthe Bosse wedi colli ei mam mewn cyrch awyr (t. 69): cafodd ei mam ei lladd yng ngwersyll crynhoi Ravensbrück. Ni laddwyd ei brawd pan oedd yn filwr yn y Wehrmacht (t. 69): cafodd ei dau frawd, Günther a Fritz, eu harestio a'u gosod yng ngofal gwersyll i garcharorion rhyfel, a llwyddo i oroesi'r rhyfel, er y cafwyd gorchymyn i'w lladd pan gaewyd y gwersyll.

YR EFENGYL DYWYLL

7 Ysgrifennwyd y gerdd ar ôl i arolygydd stryd ofyn i'r awdur adeg yr Ail Ryfel Byd a oedd yn rhaid iddo fynd ar ei ffordd.

8 Roedd gan y llywodraeth fwy o reolaeth ar bropaganda yn yr Ail Ryfel Byd nag yn y Cyntaf. Ffurfiwyd 'Ministry of Information' yn 1918 o dan reolaeth yr Arglwydd Beaverbrook. Cafodd ei hatgyfodi yn 1935, a rhoddwyd iddi'r nod gan Churchill yn 1941 o lunio polisi gwybodaeth y llywodraeth yn gyffredinol.

9 Cafodd H.M.S. *Dunedin* ei suddo ar 24 Tachwedd 1941 yng nghanol Môr Iwerydd gan ddau daflegryn o long danfor Almaenig. Pedwar swyddog a 63 o ddynion a oroesodd, o blith criw o 486.

10 1878 – 1971; bardd a Chomiwnydd a edmygai'r athronydd-gomiwnydd Karl Marx ac arweinydd cyntaf yr Undeb Sofietaidd, Vladimir Lenin. Darlithiodd ryw fil o weithiau ar ragoriaethau Rwsia. Ddechrau'r Ail Ryfel Byd, roedd cytundeb rhwng Hitler a Rwsia.

11 Cân ryngwladol pleidiau sosialaidd Marcsaidd ac eraill yw hon. Cyfansoddwyd hi yn Ffrangeg gan Eugene Pottier, ar ôl cwymp Comiwn Paris 1871, a gosodwyd hi i gerddoriaeth gan P. Degeyter.

12 Roedd dinas Meröe (Begrawoya heddiw) ar lan afon Nil, rhwng de'r Aifft a gogledd Swdan heddiw. Mae yno heddiw grŵp o ryw ddwsin o byramidiau ar fryn.

13 On, enw Beiblaidd (Genesis 41: 45–50) ar Heliopolis, dinas temlau duw'r haul Re, yng ngogledd yr Aifft ger Cairo.

14 Osiris, duw bywyd, marwolaeth a ffrwythlondeb.

15 Horws, un o hen dduwiau'r Aifft, a chanddo gorff dyn a phen hebog.

16 Dyfais, yn cynnwys polyn a bwced, i godi dŵr.

17 brodwaith

18 sidan

19 darogan, proffwydoliaeth

20 Nymffod a ofalai am ardd ddedwydd yn y Gorllewin, lle y tyfai afalau aur a roddai anfarwoldeb.

21 Roedd angen i Math, arglwydd Gwynedd, gadw ei draed yng nghôl morwyn. Dialodd Math ar Gilfaethwy, wedi iddo ef ddwyn gwyryfdod Goewin, y forwyn.

22 Teitl gwreiddiol llyfr Thomas Hardy oedd *A Pure Woman.* A hithau wedi cael plentyn anghyfreithlon, erlidiwyd Tess pan briododd.

23 Caiff y Phariseaid eu darlunio yn y Testament Newydd fel rhai a oedd yn gaeth i lythyren y gyfraith. Cyferbynnir hyn â phwyslais Iesu ar gariad Duw.

24 Daeth y dosbarth hwn i reoli mewn dinasoedd a chymdeithasau diwydiannol, a beirniadwyd hwy am gulni, materoliaeth a cheidwadaeth.

25 Nero, ymerawdwr Rhufeinig rhwng 54 a 68 O.C., erlidiwr y

Cristnogion yn arbennig ar ôl tân mawr Rhufain yn 64 O.C.

26 Ceir y geiriau 'Quo Vadis' yn Ioan 16:5 yn y Fwlgat, fersiwn Lladin y Beibl. Cyfeirir yn arbennig yma at y stori (yn Actau apocryffaidd S. Pedr) am Pedr yn ffoi o Rufain adeg erledigaeth Nero; ymddangosodd Iesu iddo, a phan ofynnodd Pedr 'Quo vadis, Domine?', 'I ble yr wyt ti yn myned, Arglwydd?', atebodd Iesu ei fod yn mynd i Rufain i'w groeshoelio yr eilwaith.

27 pruddglwyf

28 Bardd Groeg (518– *c.*446 C.C.) a ganai glodydd buddugwyr y chwaraeon Groegaidd.

29 Mynydd Olympos, cartref deuddeg o dduwiau'r hen Roeg, gan gynnwys Zews.

30 Brenin y duwiau, rheolwr mynydd Olympos, duw'r ffurfafen.

31 Casgliad o dduwiau.

32 Prif dduw mytholeg Lychlynaidd.

33 Duw'r daran ym mytholeg Lychlynaidd ac Almaenig. Mab Odin.

34 Socrates (469–399 C.C.), un o brif sylfaenwyr athroniaeth y Gorllewin, tua 450 C.C.

35 Platon (427–347 C.C.), disgybl i Socrates, awdur rhai o weithiau athronyddol y Groegiaid.

36 Ewripides (*c.* 485–406 C.C.), dramodydd Groeg.

37 Ynysoedd y Dedwydd: yn chwedloniaeth y Groegiaid, ynysoedd yn y Gorllewin, trigfan arwyr a gwŷr dethol eraill ar ôl eu marwolaeth.

38 Y mae Pindar yn cyfeirio droeon at Fynydd Olympos e.e., yn *Paean vi.* 92 y mae'n sôn am gymylau aur a chopaon Olympos.

39 Cyfnos y duwiau, rhan olaf *Der Ring des Nibelungen* Wagner.

40 Duw cerdd ac awen.

41 Natur yw fy unig dywysydd.

42 Sinai: ar y mynydd hwn y derbyniodd Moses y Deg Gorchymyn; Calfaria: yma y croeshoeliwyd Crist.

43 Enw caffe yng Nghaerdydd yn ôl pob tebyg.

44 'Henffych Fair, lawn gras', a lafargenir yn rhan o'r offeren.

45 Nid oedd yn wyryf, nid oedd yn ddilychwin.

46 Ffordd Galar, stryd yn Jerwsalem, y cerddodd Crist ar hyd-ddi ar y ffordd i'w groeshoelio.

47 Bydd drugarog, Sanctaidd Fair.

48 Y duw Baal, y tarw sanctaidd, a fyddai'n cael ei addoli yn yr hen ddwyrain agos.

49 Ffynnon ar fynydd Penrhiw-gwynt, yn perthyn i'r Oesoedd Canol, lle y syrthiodd eilun o Fair o'r nef. Byddai dŵr y ffynnon yn llesol i lowyr y Rhondda.

50 'Amddiffyniad' yw ystyr y gair Groeg, yn hytrach nag 'ymddiheuriad'.

51 'Drain ac ysgall mall a'i medd, / Mieri lle bu mawredd': o englyn Ieuan Brydydd Hir i Faesaleg, llys Ifor Hael, noddwr Dafydd ap Gwilym, 1780.

52 dolur

53 Eglwys amlwg yn y Pentre, Rhondda.

54 Mynydd yn codi uwchben y Pentre, Rhondda.

55 David Davies, o Lancarfan, un o derfysgwyr Merched Beca. Cafodd ei alltudio i Tasmania yn 1844.

56 John Jones, cymeriad garw o ardal Merthyr, a gafodd ei garcharu gyda David Davies ac yna'i alltudio i Awstralia.

57 Merch Priam, brenin Caerdroea. Syrthiodd Apolo, duw proffwydoliaeth, mewn cariad â hi a rhoi iddi ddawn proffwydo. Rhagwelodd ddinistr Caerdroea.

58 Cyfeirir at hanes gwrthryfel Absalom yn erbyn ei dad, y Brenin Dafydd, a Dafydd wrth borth y gwersyll yn disgwyl y newydd am dynged ei fab (2 Samuel, penodau 18 a 19).

59 Diwedd amser, man cychwyn y frwydr olaf rhwng y da a'r drwg. Sonnir amdano yn Llyfr y Datguddiad (16:16) yn y Testament Newydd. Mae dadl am ei leoliad, o bosib ger afon Ewffrates.

CERDDI CADWGAN

60 Cynhaliwyd rali gan Blaid Cymru ar 1 Hydref 1949 i lansio ymgyrch Senedd i Gymru. Gwynfor Evans oedd llywydd Plaid Cymru er 1945.

61 Gair o darddiad Aramaeg yn golygu 'cyfoeth'. Cafodd ei ymbersonoli fel diafol cybydd-dod.

62 Aramaeg, nid Hebraeg, oedd iaith gyntaf Iesu.

63 Y gerdd Gymraeg gyntaf y gwyddom amdani, a ysgrifennwyd gan Aneirin tua 600 O.C., yng Nghymraeg yr Hen Ogledd (de'r Alban a gogledd Lloegr heddiw). Mae'n cofnodi brwydr a gollodd y 'Cymry' pan aethant i ymladd â llu yr Eingl yng Nghatraeth.

64 Un o'r ddwy gerdd epig Roeg, a briodolir i Homer (tua'r wythfed ganrif C.C.) yw'r *Iliad.* Yn y soned cyfeirir at gynnwys y chweched llyfr.

65 Term yn ymwneud â gramadeg yr iaith Roeg yw 'y Derbyniol yn golygu budd'.

66 Term gramadegol arall yw 'Berf-enwau Epexegetaidd'.

67–8 Dau o'r arwyr yn rhyfel Caerdroea oedd Glawcon a Diomed. Ymladdent ar ochrau gwahanol, ond yn *Iliad 6*, sonnir am eu huno gan hen gyfeillgarwch teuluol.

69–70 Un o uchafbwyntiau chweched llyfr yr *Iliad* yw'r stori am Hector, un o filwyr pennaf Caerdroea, yn ffarwelio â'i wraig Andromache a'i fab Astyanax wrth iddo wynebu'r frwydr.

71 Bardd Groeg, tua'r wythfed ganrif C.C.

72 Tyfodd poblogaeth Lübeck o 150,000 cyn yr Ail Ryfel Byd i 220,000 ar ôl y rhyfel wrth i ffoaduriaid ddylifo yno. Gorfodwyd tua 16 miliwn o bobl Almaeneg eu hiaith i symud o diroedd dwyrain Ewrop i'r Almaen.

73 didostur

74 Roedd llwythau Israel yn cael mynd i Ganan ar ôl deugain mlynedd yn yr anialwch.

75 Gorfodwyd y ffoaduriaid i adael eu cartrefi heb unrhyw iawndal.

76 gofalus

77 Cyfeiriad at Jeremeia yn prynu maes ger Jerwsalem pan oedd Nebwchodonosor yn trechu'r ddinas (Jeremeia 32).

78 Cyfansoddwr o'r Almaen, 1685–1759, y mae *Y Meseia* ymysg ei weithiau mawr. Treuliodd ran helaeth o'i oes yn Lloegr.

79 Y Llwybr Llaethog.

80 Cyfeiriad posibl at Tamar, merch yng nghyfraith Jwda, a ddaeth yn butain yn y deml, a chael efeilliaid gyda Jwda'n dad iddynt.

81 Tref Jwda.

82 dicter

83 Rhoddwyd tir i Effraim, a ddaeth wedyn i'w alw'n Samaria. Roedd Effraim yn eiddigeddus o bŵer cynyddol Jwda.

84 Meddir gan rai mai yma roedd man geni Abraham. Mae yn Irác heddiw. Cafodd y delyn ei niweidio gan ladron yn Amgueddfa Irác, Baghdad, ar 12 Ebrill, 2003. Canfuwyd Ur ganol y bedwaredd ganrif ar bymtheg.

85 Brenin, tua 2650 C.C.

86 brenhinol

87 proffwydo

88 tewi

89 1863 – 1938, bardd, dramodydd a nofelydd. Ffigur gwleidyddol dadleuol.

90 Pwynt isaf (y ffurfafen yn wreiddiol).

91 Cadfridog (yn y drydedd ganrif C.C.) a orchfygodd dde Sbaen a mannau eraill, tad Hannibal.

92 'O gryman y lloer sydd yn cilio.' Daeth y gerdd hon yn gân boblogaidd.

93 Menyw orawenus o gwlt Dionysos.

94 Afon a'i dyffryn rhwng dinas Jerwsalem a Mynydd yr Olewydd, lle y croeshoeliwyd Iesu.

95 Heb fod yn gynnes nac yn oer, fel eglwys Laodicea (Datguddiad 3:16: 'ond gan mai claear ydwyt, heb fod nac yn boeth nac yn oer...')

96 Prif dduw crefydd ddirgel, â'i gwreiddiau ym Mhersia, a ledodd i Rufain tua 100 C.C. a dod yn boblogaidd trwy'r ymerodraeth Rufeinig. Roedd peth tebygrwydd rhwng symbolau'r grefydd hon a Christnogaeth, a chondemniwyd cwlt Mithras gan awduron Cristnogol am barodïo rhai o elfennau canolog Cristnogaeth megis bedydd a chymun.

97 Trigolion de-ddwyrain Cymru adeg teyrnasiad y Rhufeiniaid.

98 Ar ôl 70 O.C., wedi blynyddoedd maith o ymdrechu, y trechwyd y Silwriaid gan y Rhufeiniaid.

99 Roedd Mithras yn gysylltiedig â Helios, duw haul y Groegiaid.

100 Nid oedd merched yn cael bod yn aelodau. Roedd y grefydd yn boblogaidd ymysg milwyr.

101 Roedd trochi mewn gwaed tarw yn ddefod ganolog.

102 Adlais o gytgan enwog Ieuan Gwyllt (1822–77), yn yr emyn a genir ar y dôn 'Gwahoddiad'.

103 Talcen. Byddai rhoi arwydd ar dalcen yn rhan o ddefod crefydd Mithras. Mewn Cristnogaeth, mae talcen â nod y grog yn arwydd o ŵr wedi'i fedyddio.

104 Cyfeiriad at emyn Robert ap Gwilym Ddu (1766–1850), 'Mae'r gwaed a redodd ar y Groes / O oes i oes i'w gofio'.

105 1880 – 1949, heddychwr a wrthwynebodd y Rhyfel Byd Cyntaf a gorfodaeth filwrol. Carcharwyd ef sawl gwaith. Mynychodd rai cyfarfodydd o Gylch Cadwgan.

106 Yn 1948 cymerodd J.G.G. ran ym mhrotest Plaid Cymru yn erbyn y Swyddfa Ryfel a oedd am greu gwersyll milwrol yn Nhrawsfynydd.

107 Adlais o 'dim ond lleuad borffor' Hedd Wyn, a hanai o Drawsfynydd, yn y gerdd 'Atgo'.

108 Duw amaeth y Celtiaid.

109 Duw arfau metel, gof y Celtiaid.

FFROENAU'R DDRAIG

110 Pentref i'r de o'r Gelli Gandryll. Bu'r awdur a'i gydnabod yn aros yn y mynachdy yno ar encil o bryd i'w gilydd.

[111] Tywysog yn y de, tua'r ddegfed ganrif, a roddodd ei enw i Foel Cadwgan, y Rhondda.

[112] Hynny yw, yn dipyn o gamp.

[113] Cafodd Iwerddon (siroedd y de) annibyniaeth yn 1921.

[114] Catraeth, Catterick heddiw, yng ngogledd Lloegr oedd lleoliad brwydr llu Mynyddog Mwynfawr â'r Eingl, tua 600 O.C., a oedd yn destun 'Y Gododdin' gan Aneirin.

[115] Piler Eliseg, croes garreg o'r nawfed ganrif, er cof am un o'r arweinwyr cynnar.

[116] Mahatma Gandhi, 1869–1948, arweinydd ymgyrch annibyniaeth India, a ddefnyddiodd ddulliau di-drais.

[117] Dywediad gan Iesu, gw. Mathew 17: 14–21.

[118] Afon sy'n tarddu ym mynyddoedd yr Himalaya.

[119] Afon Ganges, sy'n afon sanctaidd i'r Indiaid.

[120] Roedd J.G.G. yn ymgeisydd yn Etholaeth Gŵyr yn etholiad 1959.

[121] Roedd J.G.G. yn bregethwr lleyg.

[122] Cyfeiriad at swydd J.G.G. yn ddarlithydd prifysgol.

[123] Chris Rees, a fu'n ymgeisydd yn Etholaeth Gŵyr, ac arloeswr ym maes dysgu'r Gymraeg i oedolion. Bu farw yn 70 oed yn 2001.

[124] Aneurin Bevan, 1897–1960, o Dredegar, sy'n cael clod am sefydlu'r wladwriaeth les.

[125] Eic Davies, athro Cymraeg yn Ysgol Ramadeg Pontardawe, a sylwebydd chwaraeon.

[126] Rhyfel Culfor Suez, 1956, pan geisiodd Lloegr a Ffrainc ac Israel ddwyn y gamlas o afael yr Aifft.

[127] Rita Morgan, Rita Williams wedyn, a ddaeth yn ddarlithydd Llydaweg yn Aberystwyth.

[128] Un o gefnogwyr Plaid Cymru yng Nghlydach.

[129] Radio Cymru oedd yr enw ar yr orsaf radio anghyfreithlon a fyddai'n darlledu propaganda Plaid Cymru ar ôl i'r gwasanaeth teledu orffen am y nos. Trefnwyd hyn am fod gwaharddiad ar ddarllediadau gwleidyddol gan Blaid Cymru.

[130] Käthe, gwraig J.G.G.

[131] Pennar Davies, 1911–96, pennaeth coleg yr Annibynwyr yn Aberhonddu, yna Abertawe.

[132] Roedd Hywel Heulyn Roberts, o Synod Inn, yn gynghorydd Plaid Cymru yng Ngheredigion.

[133] Roedd Isaac Stephens yn un o arweinwyr y glowyr a ddaeth at Blaid Cymru.

[134] Yr Athro Leopold Kohr, o Awstria, a ddaeth yn ddarlithydd yn Abertawe ac Aberystwyth, a chefnogi Plaid Cymru. Roedd yn

sylfaenydd athroniaeth wleidyddol wedi ei seilio ar unedau bychain.

135 Matthew Mulcahy, cenedlaetholwr o Glydach, Abertawe.

136 Cymru o dan olwg tragwyddoldeb.

137 Roedd Marina a Llinos Davies yn ddwy o aelodau ifanc y Blaid yn Abertawe. Ffisiotherapydd fu Marina, a Llinos yn llyfrgellydd. Byddai gwerthu papurau'r *Ddraig Goch* a'r *Welsh Nation* yn rhan amlwg o ymgyrchu'r Blaid.

138 Wendy Richards, a oedd yn genedlaetholwraig amlwg yng nghwm Tawe, ac yna Castell-nedd.

139 Brwdfrydedd gormodol.

140 Dafydd Orwig Jones, a fu'n arweinydd Plaid Cymru yng Ngwynedd.

141 Waldo Williams y bardd, 1904–71. Byddai'n ymweld yn gyson â chartref J.G.G. yn Abertawe.

142 Roy Lewis, a oedd yn ddarlithydd Ffrangeg yn Abertawe. Daeth yn awdur nifer o nofelau poblogaidd, a chael cyfnod yn Athro Ffrangeg mewn prifysgol yn Rhodesia (Zimbabwe wedyn). Roedd yn ffotograffydd medrus.

143 Roedd helynt yng nghapel Soar, Ystradgynlais, ac ymrannodd y gynulleidfa, a Wynne Samuel, un o arweinwyr Plaid Cymru, ar un ochr.

144 Dywedir bod blodau Helen yn tarddu o ddagrau Helen o Gaerdroea.

145 Ym mytholeg y Groegiaid, anghenfil yn cynnwys rhannau o sawl anifail oedd y 'chimaera'. Byddai ei weld yn arwydd o drychineb ym myd natur neu longddrylliad.

146 Llinell a geir ar gofebau rhyfel i gofio rhai a fu farw mewn brwydrau yn y ddau ryfel byd.

147–148 Gweler nodyn 69 –70.

149 Llinell o eiddo Dafydd Nanmor.

150 Cyfeiriad at englyn coffa gan R. Williams Parry i'r morwr, 'y meirwon / â gwymon yn gymysg', *Cerddi'r Haf*, Gwasg y Bala, 1924, t. 99.

151 Mesur mydryddol, fel arfer yn ddwy sillaf fer, ac un hir.

152 Bacchus oedd duw gwin a meddwdod y Rhufeiniaid, yn cyfateb i'r duw Groegaidd Dionysus.

153 Cyflwr o heddwch mewnol mewn Bwdhaeth.

154 Un o afonydd Hades, yr is-fyd ym mytholeg y Groegiaid. Byddai yfed ei dŵr yn peri anghofrwydd.

155 Mynydd uwchben y Rhondda. Oddi yno gwelir Cwm-parc a Threorci.

156 Gair Groeg am gariad. Cyfeiriad fel arfer at gariad dwyfol.

[157] Roedd Eros yn dduw serch, a defnyddir 'eros' am gariad rhywiol.

[158] Nofel gan André Gide, lle y mae gweinidog yn mabwysiadu merch ifanc, ond yna'n canfod ei fod yn ei charu.

[159] Cyfieithodd T. H.W., 1873–1961, nifer helaeth o weithiau Rwsieg i'r Gymraeg. Prif fardd rhamantaidd Rwsia yw Lermontoff, 1814 – 41.

[160] Cwpan swper olaf Crist a'i ddisgyblion, y chwiliwyd amdano ar hyd y blynyddoedd, ac sy'n rhan amlwg o'r chwedlau Arthuraidd.

[161] Teitl nofel gan wraig J.G.G., Kate Bosse-Griffiths. Cymerwyd y teitl o linell gan Prosser Rhys, 'a'i hoen yn anesmwythyd yn fy ngwaed'.

[162] Genesis 11, parodd Duw i bobloedd y byd siarad ieithoedd gwahanol wrth iddyn nhw adeiladu tŵr Babel.

[163] Alexandria oedd prifddinas yr Aifft wedi 330 C.C. Enwyd y ddinas ar ôl Alexander Fawr, un o arweinwyr milwrol mwyaf llwyddiannus y byd.

[164] Cynulliad o 71 o farnwyr Iddewig.

[165] 'Morituri te salutant': 'yr ydym ni sydd ar farw'n dy gyfarch' oedd cyfarchiad y gladiatoriaid i ymerawdwr Rhufain yn yr arena.

[166] Ar hyd dyffryn Cedron y cerddodd Crist i'w groeshoelio.

[167] Coch y wawr. Defnyddir 'morgenrot' yn aml gan feirdd rhamantaidd yr Almaen, e.e. Goethe yn 'Ganymed' lle mae lliw coch y wawr yn arwydd o wres a phrydferthwch.

[168] D. J. Williams, Saunders Lewis a Lewis Valentine, a losgodd yr ysgol fomio yn Llŷn yn 1936, gan beri i'r awyr gochi.

[169] Cyfeiriad at araith Garmon yn nrama Saunders Lewis, *Buchedd Garmon*: 'Gwinllan a roddwyd i'm gofal yw Cymru fy ngwlad.' Daw'r symbol o hanes gwinllan Naboth (1 Brenhinoedd: 21).

[170] Cyfeiriad at linell yn emyn y gof Thomas Lewis, 'a'i chwys fel defnynnau o waed'. Yn ôl traddodiad teuluol, gweithiai perthynas i'r teulu gyda Thomas Lewis, ac ef a gofnododd yr emyn.

[171] Gwlad yn America Ganol (y gyntaf yn y byd i ddileu ei byddin).

[172] Twf a datblygiad embryo heb ei ffrwythloni gan wryw.

[173] Ni ddaw dim byd o ddim. Ceir dadl athronyddol a chrefyddol am hyn. Pwysleisiwyd y safbwynt hwn gan y bardd Lladin Lucretius.

[174] Un o'r ddau leidr a groeshoeliwyd gyda Iesu.

[175] Logos = 'gair', gw. pennod gyntaf Efengyl Ioan.

[176] Yn ôl Luc (23, 39), 'un o'r drwgweithredwyr a grogasid a'i cablodd ef'.

[177] Fel carreg; 'craig' yw 'petra' (Groeg).

[178] Gw. cyfieithiad John Morris-Jones o emyn Frances R. Havergal, 'Cymer, Arglwydd f'einioes i / I'w chysegru oll i ti.'

179 Moddion moesol, chwarae ar 'Vaseline.'

180 'Bevin boys' oedd yr enw a roed ar 48,000 o rai a fu'n lowyr ar gynlluniau gwaith Ernest Bevin, a fu'n Weinidog Llafur a Gwasanaeth Cenedlaethol wedi 1940.

181 Gwisgoedd dur.

182 Codwyd gwersyll Butlin ger Pwllheli adeg y rhyfel a rhoi lle i filwyr, ac agorwyd ef yn wersyll gwyliau yn 1947.

183 Mwynglawdd aur ger Pumsaint, Sir Gaerfyrddin, a weithiwyd gan y Rhufeiniaid, ac wedi hynny.

184 Ail ddinas fwyaf Libya, a fomiwyd yn ddifrifol yn yr Ail Ryfel Byd.

185 Cawr, mab i Poseidon, a gâi ei nerth o'r newydd wrth fod mewn cyswllt â'i fam, Gaia (y ddaear).

186 Eifftolegydd, 1862–1934. Bryn y Baedd: Boars Hill, Rhydychen.

187 Geiriau o linell agoriadol emyn Almaeneg (unfed ganrif ar bymtheg): 'O Welt, ich muss dich lassen', 'O fyd, rhaid imi dy adael'. Dilynir patrwm mydryddol yr emyn yn y gerdd hon.

188 Duw cerddoriaeth a barddoniaeth.

189 Duwies Eifftaidd, gwraig Osiris, mam Horws.

190 Osiris, Duw Eifftaidd bywyd, marwolaeth a ffrwythlondeb.

191 Helen o Gaerdroea, merch Zews a Leda, merch brydferthaf mytholeg y Groegiaid.

192 Merch y brenin Minos o Greta; cynorthwyodd Theseus i ddianc o labrinth ei hanner-brawd, y Minotor.

193 Enw un o'r tair Gras, yn ôl y bardd Groeg Hesiod.

194 Duw â gofal am fugeiliaid, cerddor a charwr, dyfeisiwr y *syrinx* (pibau Pan), gw. nodyn 490.

195 Iphegenia, a achubwyd rhag ei lladd gan Agamemnon ei thad gan y dduwies Artemis a'i hanfon i Tawris.

196–197 Dionysos, neu Bacchus. Achubodd Ariadne o ynys Naxos, ar ôl i Theseus (er iddo gael ei arbed ganddi, gw. n. 192) fynd a'i gadael yno.

198 Teyrnas ar hyd afon Tigris, ar ei hanterth tua 900–600 C.C.

199 Brenin Assyria, 705–681 C.C. Ymosododd ar sawl tref yn Jwda a chyrraedd Jerwsalem ond cilio'n ôl i Ninefe, gw. 2 Brenhinoedd, 19:35.

200 Prifddinas Assyria.

201 Pan oedd Herod yn erlid babanod o fechgyn, ffoes Mair, Joseff a Iesu'r baban i'r Aifft.

202 Mae afon Nil yn gysylltiedig â llu o dduwiau'r Hen Aifft.

203 Mynydd lle y derbyniodd Moses y Deg Gorchymyn, rhwng Israel a'r Aifft.

204 Yn Jeremeia 31:15 mae Rahel yn wylo am ei phlant, er cael diwedd i ddioddef ac i alltudio yn dilyn dinistrio'r Deml gyntaf yn Jerwsalem.

205 Horws, duw ffurfafen yr Hen Aifft. Isis oedd ei fam ac Osiris ei dad.

206 Memffis oedd prifddinas yr Hen Aifft, ger delta afon Nil. Yn ymyl mae pyramidiau Saqqara.

207 Crëwr y bydysawd, duw'r haul yn yr Hen Aifft.

208 Ar ei fol o flaen ei dduw.

209 Byddai Käthe, gwraig J.G.G., yn derbyn llythyrau gan ei theulu o bryd i'w gilydd, trwy'r Groes Goch, a'r rhain yn awgrymu amgylchiadau yn hytrach na'u disgrifio, oherwydd sensoriaeth.

210 Cyfres o lyfrau y dechreuwyd eu cyhoeddi yn 1945.

211 Saethwyd dryw gan Lleu Llaw Gyffes, mab Arianrhod, yng nghainc Math fab Mathonwy o'r Mabinogi. Gwydion a Math oedd y ddau ddewin a luniodd Blodeuwedd o flodau yn wraig i Lleu.

212 prydferth

213 trymaidd

214 taro, saethu

215 gweiddi

216 galar

217 Käthe Bosse, gwraig J.G.G.

218 Cân werin adnabyddus: 'Dacw 'nghariad i lawr yn y berllan / O na bawn i yno fy hunan.'

219 Geiriau'r gân werin: 'Dau rosyn coch a dau lygad du / draw wrth droed y mynydd y gwelais hi.'

220 Llinell o gerdd Horas (65–8 C.C.), *Carmina*, Llyfr I: 9.19: 'a sibrydion mwyn pan ddaw'r nos'.

221 Gwener: duwies serch y Rhufeiniaid.

222 Yr un dyner.

223 Lutherstadt-Wittenberg, tref enedigol Käthe Bosse, a thref y bu Martin Luther yn byw ynddi.

224 Y byd hwn y tu ôl i'r ddau fynydd.

225 Dyna ddarlun hyfryd.

226 Y Llen Haearn oedd y ffin rhwng y tiroedd Comiwnyddol a gorllewin Ewrop.

227 Un sydd yn ymarfer yoga.

228 Enw ar Rwsiad, a ddefnyddir yma i'w cynrychioli.

229 Roedd yn briod ag Augusta (Ogi), chwaer J.G.G. a hanai o Sir Gaerfyrddin.

230 Glanrafon, rhwng Corwen a'r Bala.

231 Llywiwr llong Aeneas wrth iddo ffoi o Gaerdroea i'r Eidal. Syrthiodd i'r môr a boddi. (Fyrsil, *Aeneid* 5.827–71)

232 Rhan o athroniaeth a diwinyddiaeth sy'n ymwneud â diwedd y byd.

233 Mewn athroniaeth Stoicaidd mae pwyslais ar les ysbrydol trwy reoli emosiynau a cheisio'r gwir.

234 Yn efengylau Marc (6: 17–28) a Mathew (14: 3–12) disgrifir y rhan a oedd gan Herodias yn sicrhau dienyddio Ioan Fedyddiwr, trwy gael ei merch i ddawnsio gerbron Antipas, a hawlio pen Ioan Fedyddiwr yn dâl.

235 Llosgwyd yr 'ysgol fomio' ym Mhenyberth gan genedlaetholwyr yn 1936, a'r tri a dderbyniodd y cyfrifoldeb oedd Saunders Lewis, D. J. Williams a Lewis Valentine.

236 Yn ysgrythurol gellir dehongli hyn fel Babylon, neu ymerodraeth Rufain.

237 Robert Roberts, 1870–1951. Melinydd a ffermwr o Gwmtirmynach, y Bala. Cafodd amlygrwydd cenedlaethol trwy raglenni Cymraeg cynnar y B.B.C. Mae'r gerdd yn cynnwys cyfeiriadau at ganeuon a ganodd.

238 Gweinidog gyda'r Bedyddwyr yng Nghefn-mawr, heddychwr, dirwestwr ac arweinydd cymdeithasol amlwg.

239 Dyn doeth. Yr enw Lladin gwyddonol ar yr hil ddynol.

240 O'r dyfnder. Geiriau cyntaf Lladin Salm 130, "O'r dyfnder y llefais arnat, O Arglwydd."

241 Groeg

242 Gelynion dinasoedd Groeg yn nechrau'r bumed ganrif C.C. Ym mrwydr Marathon, 490 C.C., trechwyd Persia gan yr Atheniaid o dan arweiniad Miltiades.

243 Mathew 7:6, "Na theflwch eich gemau o flaen y moch; rhag iddynt eu sathru dan eu traed."

244–5 Cerdd i Athen, a ddisgrifid gan y beirdd Groeg fel *iostephanos*, 'wedi'i choroni â fioledau'. Mynydd ger Athen yw Humetos, a theml Athena yw'r Parthenon.

246 Emyn priodas.

247 Pennar Davies a'i wraig Rosemarie (Wolf).

248 Gweinidog Capel Gomer, Abertawe, ac awdur llyfrau gloywi iaith yn yr 1920au.

249 Ymadrodd Aramaeg, 'Daeth yr Arglwydd' neu 'Tyred, Arglwydd' (1 Corinthiaid 16:22).

[250] Esgob Milan, 339–97 O.C.

[251] Daw'r llinellau o emyn Ambrosius, *Grates tibi, Iesu, novas*, yn coffáu dod o hyd i gyrff y merthyron Gervasius a Protasius: 'Gogoniant i Dduw yn y goruchaf! Ni chawsom y gras i fod yn ferthyron. Ond daethom o hyd i'r merthyron.'

[252] diniwed

[253] Cyfeirir at weledigaethau llyfr yr 'apocalyps'.

[254] Llyfr y Datguddiad 13:18.

[255] Nos da.

[256] Pob hwyl.

[257] Byddwch fyw'n dda.

[258] Taith dda.

[259] Eglwys Gadeiriol Köln (Cologne).

[260] Cyfarchiad Mair.

[261] Tarddodd crefydd Manicheaeth yn Babylon yn y drydedd ganrif O.C. Mae deuoliaeth yn bwysig yn y gred, a'r frwydr rhwng goleuni a thywyllwch, yr enaid a'r corff.

[262] Llywydd Plaid Cymru, 1945–81.

[263] O darddiad Groeg yn golygu 'sefyll ar wahân', a gall olygu gwrthryfelwr gwleidyddol.

[264] Yn llyfr Susanna yn yr Apocryffa, mae Daniel yn achub Susanna rhag cyhuddiad o odineb a wnaed gan ddau o'r henaduriaid. Ysgrifennwyd y ddrama yn 1937 ac enillodd mewn cystadleuaeth ysgrifennu drama un act.

[265] 1902–52, cenedlaetholwr a dramodydd o Geredigion, a symudodd i'r Rhondda yn 1926.

[266] Casgliad o ysgrythurau na chawsant eu cynnwys yn y Beibl.

[267] Llenor, 1894–1963, yn enwog am *Brave New World.* Arbrofai gyda chyffur L.S.D.

[268] Nofelydd, 1885–1930, a roddodd le amlwg i serch rhywiol yn ei nofelau. Cafodd ei nofel *Lady Chatterly's Lover* ei gwahardd.

[269] James Joyce, llenor Gwyddelig, 1882–1941. Cafodd ei lyfr *Ulysses* ei gyhuddo o fod yn anllad.

[270] Cyfundeb un o'r enwadau anghydffurfiol.

[271] Pryddest Prosser Rhys, 1901–45, a enillodd y goron yn Eisteddfod Genedlaethol 1924. Ynddi mae'n mynegi serch at lanc penfelyn (Morris Williams, gŵr Kate Roberts, mae'n debyg).

[272] Beirniadwyd nofel *Creigiau Milgwyn*, a gyhoeddwyd yn 1935, gan

T. J. Morgan. Grace Wynne Griffiths oedd yr awdur, a phlentyn anghyfreithlon yn thema.

273 Ni wobrwywyd y ddrama hon gan Kitchener Davies yn Eisteddfod Genedlaethol Castell-nedd 1934 oherwydd cyfeiriadau at ryw, er ei bod yn ddrama dra moesol.

274 Nofel Saunders Lewis a gyhoeddwyd yn 1930, a gondemniwyd ar y pryd oherwydd diffyg moesoldeb rhai cymeriadau.

275 Cofgolofn sylweddol ger Coleg Balliol, Rhydychen, i goffáu merthyron Rhydychen, o'r unfed ganrif ar bymtheg, Cranmer, Ridley a Latimer.

276 Bardd a dramodydd o Ddulyn, 1871–1909. Roedd ynysoedd Aran yn ysbrydoliaeth iddo. Cyfieithiad o'r gerdd 'Dread'.

277 Bardd a nofelydd o Bafaria, 1878–1956.

278 Bardd o ganol yr Almaen, 1770–1843. Cydoeswr â Goethe a Schiller, edmygydd o'r clasuron.

279 Bardd o ogledd yr Almaen, 1863–1920.

280 Prif lenor yr Almaen, 1749–1832.

281 Bardd mwya'r Almaen yn yr ugeinfed ganrif, 1875–1926. Ganed ym Mhrâg. Bu fyw yn yr Almaen, Paris a'r Swistir.

282 Ffordd bywyd.

283 Börries von Münchhausen, 1874–1945.

284 Papyrus Berlin 3024.

285 Un o'r beirdd Lladin mwyaf, tua 84–54 C.C. Catullus 13.1, 'Cei wledda'n dda, fy Fabullus, yn fy nghartref.'

286 Rhydwen Williams, gweinidog, bardd, llenor ac actor, un o gylch Cadwgan.

287 Duw cariad erotig, mab i Fenws.

288 Duwies serch y Rhufeiniaid (yn cyfateb i Aphrodite yr Hen Roeg).

289 Yr Ymerawdwr Hadrian, 76–138 O.C. Un o ddwy gerdd a gadwyd o'i waith yw hon. (*Poetae Latini Minores,* gol. Baehrens, VI, tt. 373–4)

290 Bardd Groeg, ail ganrif O.C. *Anthologia Palatina* 5.81.

291 Fl. 100 C.C. 'Gŵr o Gadara a gasglodd ffurf gynnar ar y Flodeugerdd.' (Nodyn J.G.G.)

292 Asclepias, enw merch, *Anthologia Palatina* 5.156; daw'r 'Blodau Gwyw' o *Anthologia Palatina* 5.143.

293 Yr athronydd Groeg (427–347 C.C.), gw. n. 35 uchod, y priodolir rhai cerddi iddo. Y ddau epigram yma yw *Anthologia Palatina* 7.669 a 9.506.

294 Bardd (benywaidd) o Roeg, tua 630–570 C.C., a anwyd ar ynys Lesbos.

295 Epigramydd o Alecsandria (tua 200 C.C.); yma *Anthologia Palatina* 5.18.

[296] 'Trwy ystryw march o bren yn llwythog o filwyr y llwyddodd y Groegiaid, yn ôl y chwedl, i oresgyn Caer Droia.' (Nodyn J.G.G.) Llosgwyd Caerdroea (Ilios) gan y Groegiaid.

CERDDI CAIRO

[297] Lladmeryddion swyddogol gwledydd Arabaidd.

[298] Mynychodd K.B.G. ddosbarthiadau Arabeg yn ystod eu cyfnod yng Nghairo.

[299] Prifddinas yr Hen Aifft am gyfnod; golyga 'ddinas yr haul'.

[300] Pentref ger Memffis.

[301] porthor, drysor

[302] Gŵyl Rufeinig, a ddethlid 17–19 Rhagfyr. Roedd yn amser o gyfnewid rhoddion a gwledda, a'r caethweision yn cael rhyddid am gyfnod byr.

[303] 'Codwyd y rhain tua 2340–2200 C.C. Ar y muriau ceir llawer o destunau crefyddol a lafargenid er mwyn sicrhau anfarwoldeb i'r Ffaro a orweddai yno. Bedd i frenin oedd pob pyramid.' (Nodyn J.G.G.)

[304] 'Califf enwocaf Baghdad, fl. tua 800 O.C. Ef yw arwr y *Nosau Fil-ac-Un* neu *Nosau Arabia.'* (Nodyn J.G.G). Califf – arweinydd y byd Mwslemaidd, olynydd y proffwyd Mwhamad.

[305] Er na siaredir Copteg bellach, hi yw disgynnydd uniongyrchol yr Hen Eiffteg. Mae rhyw naw miliwn o Goptiaid yn yr Aifft, o boblogaeth o ryw 66 miliwn (tua phedair miliwn o boblogaeth o 30 miliwn adeg ysgrifennu'r gerdd hon).

[306] Brawd ieuengaf Kate Bosse, gwraig J.G.G. Bu farw'n 50 oed. Roedd yn berchennog fferm a busnes adeiladu cerbydau fferm, ond dioddefodd o'i garchariad yn yr Ail Ryfel Byd o dan law'r Natsïaid.

[307] der Heilige Abend: yr Hwyrnos Sanctaidd.

[308] Hynny yw, y Mab Bychan.

[309] hiraeth

[310] Ger Cairo.

[311] Duw'r haul yn yr Hen Aifft, unig dduw y brenin Achenaten.

[312] Bad hwylio ar afon Nil.

[313] Duwies, gwraig Osiris, ond enw ar long foethus yma.

[314] Mae'r obelisg yn perthyn i gwlt yr haul ond byddai enw'r brenin a'i cododd yn cael ei gerfio arno.

315 Brenin nerthol, 1304–1237 C.C. Gadawodd fwy o ddelwau cawraidd ohono'i hun nag un Ffaro arall.

316 Gair Groeg yw *ataracsïa* a lle amlwg yn nysg Epicwros: dynoda'r cyflwr o fod yn ddigynnwrf.

317 Ymadrodd Tsieineaidd yn golygu 'y ffordd', ac yn ganolog i fwy nag un gred neu gorff o syniadaeth.

318 Sefydlwyd y gred Epicwreaidd tua 307 C.C., ar sail dysgeidiaeth Epicwros a anogai bleserau cymedrol er mwyn cyrraedd cyflwr o dangnefedd.

319 Horas (65–8 C.C.), *Carmina* (Cerddi) Llyfr II, 3.1–2. 'Cofia gadw meddwl gwastad pan fo pethau'n anodd.'

320 Efengyl Ioan 14: 1.

321 Pentref yn ymyl Dyffryn y Brenhinoedd, ger afon Nil. Mae beddau'r Hen Aifft ar ochr orllewinol yr afon, ac yn Qurna maent i'w canfod ger tai heddiw. I'w diogelu, mae awdurdodau'r Aifft wedi codi pentref newydd yn nes at yr afon, ac wedi atal cyflenwad dŵr i'r hen bentref er mwyn annog y trigolion i symud.

322 Tref a godwyd o gwmpas teml Lwcsor, yr hen Thebae.

323 Pyrth mawr y deml.

324 Mae rhodfa yn cysylltu temlau Lwcsor a Karnak, a rhes o hyrddod carreg ar hyd-ddi.

325 *Cyfaill yr Aelwyd* (1881–94) oedd y misolyn poblogaidd a olygwyd gan Beriah Gwynfe Evans adeg mudiad Cymru Fydd.

326 Cyfnodolion Plaid Cymru, *Y Ddraig Goch* a'r *Welsh Nation*, y bu J.G.G. yn eu golygu, a hefyd yn eu gwerthu o stryd i stryd yn Abertawe.

327 Cynhaliwyd protest yn erbyn y Swyddfa Ryfel a oedd am greu gwersyll milwrol yn Nhrawsfynydd, 1948.

328 Darlledid y rhaglenni 'radio' ar donfedd teledu wedi i raglenni'r nos ddod i ben. Ar y pryd roedd gwaharddiad ar ddarllediadau gwleidyddol gan Blaid Cymru.

329 D. J. Williams, Abergwaun, llenor a chenedlaetholwr, 1885–1970, y golygwyd peth o'i waith gan J.G.G.

330 Tref ger teml fwyaf diweddar y Ffaroaid, i'r gogledd o Lwcsor.

331 'Nid ar air yn unig ond mewn gwirionedd hefyd'(Groeg); cymharer 1 Ioan 3:18. (Nodyn J.G.G.)

332 Geiriau T. Hughes, ar gerddoriaeth boblogaidd o waith Daniel Protheroe. Mae tystiolaeth bod hon yn un o'r caneuon apelgar a ganai Maggie Davies o Gorseinon yng nghyrddau Evan Roberts adeg diwygiad 1904–05.

333 Lleidr a droes at Gristnogaeth. Ar ei ôl ef yr enwir y mynachdy.

334 Gair Aramaeg, meistr, athro. Yn cyfateb i 'rabi' Hebraeg.

335 Cartref D. J. Williams yn Rhydcymerau, sef Penrhiw, ym mhlwyf Llansawel, Sir Gaerfyrddin. Cofnododd ei hanes cynnar yn *Hen Dŷ Ffarm*, Gwasg Aberystwyth, 1953. Yno y bu fyw cyn symud yn chwech oed i Abernant, Rhydcymerau. Cyflwynodd D. J. Williams y £2,000 a gafodd am werthu Penrhiw a'r tir i Gronfa Gŵyl Dewi Plaid Cymru yn 1966.

336 'Ei enw ar y dechrau oedd Amenoffis (IV); bu'n teyrnasu o 1379 hyd 1362 C.C. Wedi cyhoeddi ei gred mewn un Duw, sef yr Aten (cylch yr haul), gadawodd y brifddinas Thebae (Lwcsor heddiw) gyda'i wraig Neffertiti a sefydlu prifddinas newydd yn Tell el-Amarna a'i galw yn Achetaten (Gorwel yr Aten). Ceir amryw o emynau mawreddog yn gosod allan ei syniadau crefyddol. Mewn celfyddyd sefydlodd drefn newydd; yn lle ffurfioldeb a delfrydiaeth daeth ymgais i bortreadu dynion fel yr oeddent.

Cyn diwedd ei oes bu ysgariad o ryw fath rhwng Achenaten a Neffertiti; a chred rhai iddo fyw am beth amser mewn uniad rhywiol gyda dyn ifanc o'r enw Smench-kare. Bu hwn yn frenin am gyfnod byr ar ôl Achenaten, ac efallai iddynt gyd-deyrnasu am ychydig.

Mae Salm 104 yn debyg iawn i un o emynau Achenaten, a rhesymol yw credu bod yr Aifft yma wedi dylanwadu ar yr Hebrëwr. Dadleuodd eraill, yn cynnwys Freud, yn ei lyfr *Moses and Monotheism,* fod Moses wedi cymryd ei syniad o un-dduwiaeth o'r Aifft, ac mai syniadau Achenaten a'i hysbrydolodd. Nid yw'r ddadl hon yn un dderbyniol am amryw resymau; yn un peth, nid oes le amlwg i'r haul yn syniadaeth Moses am Iahweh.' (Nodiadau J.G.G.)

337 Athronydd Groeg, 470–399 C.C.

338 Yr Apostol Paul, m. tua 65 O.C.

339 Y cerflun o Iesu sydd yn Eglwys Gadeiriol Llandaf, Caerdydd. Cerflunydd o Efrog Newydd oedd Jacob Epstein, 1880–1959.

340 Roedd Smench-kare yn olynydd i Achenaten, ac yn Ffaro cyn Twtanchamŵn. Mae peth dadlau ai dyn neu fenyw ydoedd.

341 Rheolwr yn ystod teyrnasiad Ramesses XI.

342 Cariad at ddynoliaeth, neu gariad Duw.

343 'Lle enwog ar lan y Môr Canoldir yw Mersa Matrŵh, gwaith chwech awr ar y trên o Alecsandria drwy Anialwch y Gorllewin a heibio i Behîg ac el-Alemeîn.' (Nodyn J.G.G.)

344 Palas a gerddi ger Alecsandria.

345 Palas moethus ger Alecsandria.

346 '= Taposiris Magna; ger y môr rhyw bymtheg milltir i'r gorllewin o

Alecsandria; mae yma olion teml fawr yn perthyn i oes y Ptolemiaid.' (Nodyn J.G.G.)

347 'Mam-dduwies a addolid hefyd fel arglwyddes y tiroedd anial lle ceid meini drud, megis yn Sinai.' (Nodyn J.G.G.)

348 'Ffurf lifol ar y sgrifen hieroglyffig.' (Nodyn J.G.G.)

349 Mae'r stori am hyn yn llyfr Plwtarch, *Am Isis ac Osiris.*

350 Hen ddinas ar arfordir Libanus.

351 'Bywyd i Roeg!' neu 'Groeg am byth!'

352 1138–93 O.C. Cadfridog Mwslimaidd, a ymladdodd yn erbyn y Croesgadwyr. Roedd yn rheolwr ar yr Aifft.

353 Rheolai am ryw naw mlynedd o gwmpas 1330 C.C. Bu farw'n 19 oed. Mae ei gorff yn dal yn y bedd yn Nyffryn y Brenhinoedd, ond mae trysorau'r bedd yn amgueddfa Cairo. Canfuwyd y bedd gan Howard Carter a'i dîm yn 1922.

354 Gallai fod yn fab i Achenaten, neu i Smench-kare.

355 Crëwr y bydysawd, duw'r haul; wrth ei addoli daeth y syniad am un duw.

356 Tad Horws; duw'r meirw, gw. n. 189–90.

357 Dawns ddefodol.

358 Delffi, safle oracl y duw Apolo. Pythia oedd yr enw ar ei 'Broffwydes'.

359 Proffwydes, fel Pythia. Y Sibyl enwocaf oedd yr un yn Cumae yn yr Eidal.

360 Enw ar Lyn Nasser. Boddwyd y dyffryn yn yr 1960au, a pheri i 50,000 o Niwbiaid golli eu cartref.

361 Dyfynnir o'r Cwrân, Swra 93 (cyfieithiad Kate Bosse-Griffiths).

362 Cwch hwyliau traddodiadol.

363 Mae ynys sanctaidd Philae wedi ei boddi gan lyn Nasser. Codwyd temlau oedd arni a'u hailosod ar ynys uwch, a enwyd yn Philae.

364 Mae cerdd gan Rhydwen Williams i eliffant. Gw. *Barddoniaeth Rhydwen Williams, y Casgliad Cyflawn,* Barddas, 1991, t. 58, 'tunelli ohono fel folcano wedi oeri'n hir, / a'i groen a'i drwnc a'i glustiau a'i ben ôl blêr...'

365 Yr ynys fwyaf yn Aswân.

366 Ailagorwyd y temlau ar dir uchel ym mis Medi 1968.

367 Ganwyd tua 1300 C.C. Teyrnasodd ar yr Aifft am ryw 66 o flynyddoedd.

368 Ei bedd hi yw'r mwyaf ysblennydd yn Nyffryn y Breninesau.

369 Mae'n debyg gen i.

370 Enw ar ogledd yr Aifft yn yr Hen Destament, lle roedd yr Iddewon yn byw, gw. Genesis 47:10–11.

[371] Mae teml Kom Ombo tua 30 milltir i'r gogledd o Aswân.

[372] Mynydd.

[373] Y pentref a foddwyd wrth greu llyn Celyn/Tryweryn.

[374] Duw'r haul (cyfuniad o 'Re' a 'Hor y Gorwel' (yn ôl J.G.G.).

[375] Un arall o'r temlau a godwyd i dir uwch. Adeiladwyd gan Ramesses II, yn gopi llai o Abw Simbel.

[376] Roedd yn ddinas fawr yn yr Hen Aifft.

[377] Tir ym mae Ceredigion a foddwyd trwy ddiofalwch Seithenyn yn ôl y chwedl.

[378] 'Hen enw am Nwbia, yn cynnwys rhan yn yr Aifft, a rhan yng ngogledd y Swdán.' (Nodyn J.G.G.).

[379] 'Dyma'r ffurfiau Eiffteg. Mwy adnabyddus yw'r ffurfiau a rydd Herodotos y Groegwr: Cheops, Cheffrên, Muceinos.' (Nodyn J.G.G.)

[380] 'Gan fod pob maen ym mhyramid Chwffw yn pwyso ar gyfartaledd ryw ddwy dunnell a hanner, nid bach o gamp oedd yr adeiladu. Ceir disgrifiad o'r dulliau yn llyfr safonol y Dr I. E. S. Edwards, y Cymro a oedd yn bennaeth Adran Hynafiaethau Eifftaidd yn yr Amgueddfa Brydeinig: *The Pyramids of Egypt* (Llundain 1961).' (Nodyn J.G.G.)

[381] 'Am ffurf y soned hon cymharer rhai o sonedau Rainer Maria Rilke, *Sonette an Orpheus* (e.e., I, 23).' (Nodyn J.G.G.)

[382] 'Yn wreiddiol y brenin ei hun a arwyddid gan yr wyneb dynol; yn ddiweddarach hunaniaethwyd ef â Harmachis, y duw Hor ('Hor y Gorwel').' (Nodyn J.G.G.)

[383] Byddai'r canwr poblogaidd yn enwog am ei ebychiadau rhwng penillion.

[384] Ysgrifennydd oedd Nacht yn ystod y ddeunawfed frenhinlin. Mae lluniau lliwgar o fywyd gwledig ar furiau ei fedd.

[385] Dim ond unwaith y daw cariad pur.

[386] Dinas fwyaf sanctaidd Islam, yn Saudi Arabia.

[387] Persia oedd yr enw ar Iran tan 1935.

[388] Caergystennin, neu Istanbul heddiw.

[389] Mosg, Cairo, a adeiladwyd yn 971 O.C. ac a ddaeth yn brifysgol yn 988 O.C.

[390] Mosg yng Nghairo, sy'n efelychiad o un yn Istanbul.

[391] croeso

CERDDI'R HOLL ENEIDIAU

392 Ym Mai 1980 datganodd Gwynfor Evans ei fod am ymprydio hyd farwolaeth oni sefydlid sianel deledu a fyddai'n darlledu yn y Gymraeg ar yr oriau brig. Cyn dechrau ymprydio, cyhoeddodd y llywodraeth Dorïaidd y byddai sianel o'r fath yn cael ei sefydlu. Daeth S4C i fod yn 1982.

393 Tywysoges y Deheubarth, merch Gruffudd ap Cynan, chwaer i Owain Gwynedd, a gwraig Gruffudd ap Rhys. Bu farw yn 1136 yn ymladd yn erbyn y Normaniaid. Nest – tywysoges yn Neheubarth, merch Rhys ap Tewdwr a Gwladus, gwraig Gerallt Gymro. Roedd ganddi gariadon eraill. Ann – Ann Griffiths Dolwar Fach, yr emynyddes, 1776– 805. Gwerfyl – Gwerfyl Mechain, bardd, 1462–1500.

394 Mae Ruth yn ffyddlon i'w mam-yng-nghyfraith Iddewig, er ei bod hithau o dras Moabaidd. Mae Ruth yn cael ei derbyn gan yr Israeliaid er nad Iddewes mohoni.

395 Mam Iesu.

396 Duwies serch y Groegiaid, yn cyfateb i Fenws y Rhufeiniaid.

397 Llywelyn ap Gruffudd, a fu farw 1282. Glyndŵr: ar ôl ei gyhoeddi ei hun yn Dywysog Cymru, 1400, unodd Gymru am gyfnod. Michael D. Jones: 1822–98, cenedlaetholwr, un o brif symbylwyr y Wladfa ym Mhatagonia. Emrys ap Iwan: 1851–1906, cenedlaetholwr a gredai mewn ymreolaeth i Gymru a hawliau i'r Gymraeg.

398 Wormwood Scrubs, carchar yn Llundain, lle yr aethpwyd â Lewis Valentine, D. J. Williams a Saunders Lewis am losgi'r Ysgol Fomio, 1936.

399 Hydref 11, 1979, diffoddodd y tri drosglwyddydd teledu Pencarreg, Llandysul mewn protest o blaid sefydlu sianel deledu Gymraeg.

400 Roedd Meredydd Evans yn ddarlithydd yn yr Adran Allanol yng Nghaerdydd ar y pryd, ar ôl bod yn bennaeth adloniant ysgafn y B.B.C. Bu'n aelod o Driawd y Coleg, parti canu ysgafn poblogaidd. Mae ef a'i wraig Phyllis Kinney yn adnabyddus am gasglu a chanu caneuon gwerin.

401 Roedd Ned Thomas yn ddarlithydd Saesneg yn Aberystwyth ar y pryd. Bu wedyn yn gyfarwyddwr Gwasg Prifysgol Cymru. Mae'n awdur astudiaethau llenyddol. Yn ddiweddar bu'n arwain ymgyrch i sefydlu papur dyddiol Cymraeg, *Y Byd.*

402 Gwaith mawr Thomas Carlyle, a gyhoeddwyd 1833–34: 'Y Teiliwr wedi ei aildeilwra'.

403 Dau fynydd uwch Cwm Rhondda.

404 Bryn ger Nasareth.

405 Mynydd rhwng Israel a Libanus heddiw. Ar droed y mynydd

dywedodd Iesu wrth y disgyblion am yr hyn a ddigwyddai pan âi i Jerwsalem.

406 Mynydd Libanus, sydd hefyd yn enw ar y wlad.

407 Parnasos, mynydd ynghanol Gwlad Groeg, ychydig filltiroedd i'r gogledd o Delffi; cysegredig i Apolo a'r Awenau.

408 Bryn croeshoelio Iesu.

409 Mynydd yr Olewydd, i'r dwyrain o Jerwsalem. Wrth ei droed mae gardd Gethsemane.

410 1913–81; A.S. Caernarfon dros y Blaid Lafur nes i Dafydd Wigley ei guro yn 1974. Cafodd ei greu'n Farwn Goronwy Roberts ar ôl colli'r sedd, a daeth yn ddirprwy arweinydd Tŷ'r Arglwyddi, 1975–79.

411 1909–97, Aelod Seneddol Llafur yn y Rhondda. Daeth yn Ysgrifennydd Gwladol Cymru yn 1968, a threfnu Arwisgiad Tywysog Cymru yng Nghaernarfon yn 1969, mewn ymgais i lesteirio twf Plaid Cymru. Roedd yn enwog am ei ddatganiadau yn erbyn y Gymraeg a Chymdeithas yr Iaith. Cafodd ei greu'n Is-iarll Tonypandy yn 1983.

412 Guinness

413 Yr olaf o broffwydi'r Hen Destament. Ym mhennod 4, rhagwêl y dydd pan gaiff yr anghyfiawn eu llosgi.

414 Sôn am bris car.

415 Gêm y byddai J.G.G. yn ei chwarae gyda'i wyrion, ar sail cofrodd o flaidd y daeth yn ôl â hi o Rufain.

416 Einion, Garmon a Lefi: plant Robat ac Enid Gruffudd, wyrion i J.G.G.

417 Aralleiriad o'r pennill 'Hiraeth, hiraeth, cilia, cilia / Paid â phwyso mor drwm arna'.

418 Dies irae, dies illa / solvet saeclum in favilla, / teste David cum Sibylla: Diwrnod o wae pan dawdd y byd mewn tân eirias, yn ôl tystiolaeth Dafydd ynghyd â'r Sibyl. Eiddo'r brawd Thomas o Celano (*c.*1190 – 1260) yw'r geiriau. Ef ysgrifennodd fywyd Francis o Assisi. Mae'r gerdd yn darogan y farn olaf, pan fydd Crist yn barnu yn hytrach na maddau.

419 John Harris, Cwrtycadno, Dyffryn Cothi, Sir Gaerfyrddin, 1785–1839. Ysgrifennodd Kate Bosse-Griffiths *Byd y Dyn Hysbys,* Y Lolfa, 1977, sy'n egluro peth ar ei hanes a'i swynion.

420 Llawenydd trist.

421 Menywod gorawenus o gwlt Dionysos.

422 Duw gwin ac ecstasi, mab Zews a Semele.

423 Mudiad llenyddol y *Sturm und Drang* yn yr Almaen, yr oedd Goethe yn rhan ohono, a ragflaenodd y cyfnod rhamantaidd.

424 Mynydd Seion, Jerwsalem.

425 Fienna.

426 Käthe Bosse Griffiths, gwraig J.G.G.

427 Gall fod yn un o'r Ceffylau Gwyn ar fryniau ger Rhydychen.

428 Dinas a godwyd ar lan afon Nil gan y Ffaro Achenaten, tua 1353 C.C. Treuliodd K.B.G. flynyddoedd yn trefnu gwrthrychau o Amarna ar gyfer Amgueddfa'r Aifft, Prifysgol Cymru Abertawe.

429 Priodolir palas i Shalmaneser III, brenin Assyria 859–824 C.C.

430 Mae llun enwog gan Orazio Gentileschi, o Pisa, 1563–639, o ferch yn canu'r liwt. Roedd ei ferch Artemisia Gentileschi (1593–1652/3) yn artist o bwys hefyd.

431 O gerdd Catullus 5.4, 'Gall heuliau fachlud a chodi eto'.

432 Mae peth amheuaeth am yr enw hwn: credaf mai John Davies, o efail Cwmdu oedd hen dad-cu J.G.G. (1819–1903), a thad David Davies, Maestwynog. David Davies, saer o Blaenwaun (g. 1794) oedd ei dad yntau. Yn ôl cyfrifiad 1841 roedd John Davies yn of yng ngefail Blaenrug, Talyllychau, ac roedd ar y pryd yn byw gyda Thomas Lewis, yr emynydd, a oedd yn 80 oed ar y pryd, a'i wraig Mary. Un emyn a gofnodwyd o waith Thomas Lewis (1759–1842), a oedd yn ffigur allweddol wrth gychwyn achos Esgairnant yn Nhalyllychau:

Wrth gofio'i riddfannau'n yr ardd,
 A'i chwys fel defnynnau o waed,
Aredig ar gefn oedd mor hardd,
 A'i daro â chleddyf ei Dad,
A'i arwain i Galfari fryn,
 A'i hoelio ar groesbren o'i fodd;
Pa dafod all dewi am hyn?
 Pa galon mor galed na thodd?

433 Ym mynwent eglwys Talyllychau mae beddau nifer o hynafiaid J.G.G.

434 Saethwyd yr Arlywydd John F. Kennedy yn farw 22 Tachwedd 1963, o bosibl gan Lee Harvey Oswald, ond saethwyd yntau'n farw gan Jack Ruby o fewn deuddydd o'i gyhuddo.

435 Ceir hanes Sacheus yn Luc 19:1 – 10. Er ei fod yn gasglwr trethi ar ran y Rhufeiniaid, ac yn cael ei ystyried yn fradwr, roedd am weld Iesu. Addawodd roi yn ôl i'r tlodion, a chafodd iachawdwriaeth.

436 Seren y Môr, neu Polaris, Seren y Gogledd, teitl hefyd am y Forwyn Fair.

437 Yr Abaty ym Mharc Singleton oedd adeilad gwreiddiol Prifysgol Cymru Abertawe.

438 unigrwydd

439 Duwies y groesffordd yn yr Hen Roeg. Ceir cerfluniau tair ffurf ohoni. Cysylltid hi'n arbennig â dewiniaeth ac â'r isfyd a'i ysbrydion.

[440] Hawdd yw disgyn i'r is-fyd. O Fyrsil, *Aeneid* 6.126.

[441] Dewin yn y Mabinogi.

[442] Llun enwog gan Orazio Gentileschi, o Pisa, 1563–1639, o ferch yn canu'r liwt.

[443] Mynachlog; man gwyliau heddiw yn Tunisia, sefydlwyd yn 769 O.C. gan urdd Islamaidd.

[444] Marcion o Sinope, 110–160 O.C., diwinydd a bwysleisiai mai unig egwyddor ganolog Cristnogaeth yw Cariad, safbwynt y bu cryn ddadlau yn ei gylch gan rai a fynnai roi lle i'r Ddeddf.

[445] Yr Apostol Paul, o Darsus, marw tua 65 O.C., a oedd yn gyfrifol am ledaenu Cristnogaeth ymysg cenhedloedd aniddewig.

[446] Pelagius: Mynach, o Brydain Rufeinig, a oedd yn Rhufain erbyn dechrau'r bumed ganrif O.C. Daeth i wrthdrawiad â phwyslais moesol Awstin ar bechod gwreiddiol, ac fe'i condemniwyd yn heretig gan yr Eglwys.

[447] Cangen o urdd y Sistersiaid, a gychwynnodd yn Abaty Notre Dame de la Grande Trappe, 1664.

[448] 384–322 C.C. Athronydd Groeg, disgybl i Platon, un o sefydlwyr athroniaeth y Gorllewin.

[449] Yr enw ar y Bwdha, yn ystod ei ymgnawdoliad olaf, 563–483 C.C., 'dyn doeth y Sakyaid'.

[450] Roedd Carey Garnon yn weinidog yng Nghapel Gomer, Abertawe, pan oedd J.G.G. yn aelod yno. Roedd hefyd yn ohebydd achlysurol i raglenni radio Cymraeg y B.B.C. Daeth J.G.G. yn ddiacon yn y capel.

[451] Horas (Quintus Horatius Flaccus (65–8 C.C.), *Carmina*, (Cerddi) III.13.1 (cf. n. 220): 'O ffynnon Bandwsia, disgleiriach na chrisial'.

[452] Gaius Valerius Catullus (*c.* 84–54 C.C.). Bardd Lladin, enwog am ei gerddi serch. Rhydd-gyfieithiad yw saith linell gyntaf y gerdd o Catullus 8.1–8.

[453] Adroddir hanes eu carwriaeth gan Ofydd (Ovid), *Metamorphoses*, 4.55–166. Roeddynt yn gymdogion, ond gwaharddodd eu rhieni hwy rhag caru.

[454] Ceir stori cariad Eros (duw serch) a Psuche yn Apuleius, *Metamorphoses*, Llyfrau 4–6.

[455] Rwy'n dy garu.

[456] Treuliodd J.G.G. dymor yn y brifysgol yn Bonn, tref enedigol Beethoven.

[457] Käthe Bosse, gwraig J.G.G.

[458] Geiriau cân werin "... eisiau dillad glân oedd arni".

[459] O opera Joseph Parry, *Hywel a Blodwen.*

[460] Gwraig Lleu Llaw Gyffes yn y Mabinogi, a grëwyd o flodau.

[461] Ymladdodd Buddug (Boudicca) yn erbyn y Rhufeiniaid.

[462] Chwaer Bendigeidfran, a briododd â Matholwch, yn y Mabinogi.

[463] Un o'r Falcyrïaid yn chwedlau Llychlyn. Brenhines Gwlad yr Iâ yn y Niebelungenlied.

[464] Eglwys y Santes Fair, Iffley, sy'n enghraifft arbennig o bensaernïaeth Romanésg.

[465] Cychwynnwyd dysgu ar ryw ffurf yn Rhydychen yn 1096. Anerchodd Gerallt Gymro gasgliad o academyddion yn 1188. Yn 1249 y cychwynnodd rhai o'r colegau presennol.

[466] Daeth yn archesgob Caer-gaint, 1162–1170.

[467] Duw'r daran, mab Odin ym mytholeg Llychlyn.

[468] Caesarea Maritima, 'Cesarea ger y môr', sef y Môr Canoldir: dinas a godwyd ar safle hen ddinas Pheonicaidd, 'Tŵr Strato' gan Herod Fawr a'i henwi ar ôl Awgwstws Cesar. Yr oedd yn un o ganolfannau pwysicaf y Rhufeiniaid ar gyfer rheoli Jwdea.

[469] Astudiaethau yn ymwneud â 'thadau' yr Eglwys Gristnogol, o tua 100–800 O.C.

[470] Marcus Antoniws (*c.* 82–30 C.C.), un o arweinwyr milwrol Rhufain, a ymserchodd yn Cleopatra, brenhines yr Aifft.

[471] Brenin Israel ar ran y Rhufeiniaid, 73 – *c.* 4 C.C.

[472] Gaius Julius Caesar Octavianus, 63 C.C.– 4 O.C., ymerawdwr cyntaf Rhufain.

[473] Stadiwm rasys ceffylau.

[474] Yr Apostol Paul. Bu Paul yn y ddinas lawer tro, a'i ddal yn gaeth yno (Actau 9:30; 23:23 – 27.1)

[475] Duw crefydd a ddatblygodd rhwng yr ail ganrif a'r gyntaf C.C. Ceid teml (Mithraeum) iddo yng Nghesarea, wedi'i sefydlu mewn adeilad a fu'n hen storws. Hefyd darganfuwyd olion Cristnogol yno.

[476] Doménicos Theotokópoulos, artist, yn wreiddiol o Greta, 1541 – 1614. Ymfudodd i Toledo yn 1577. Yn yr eglwys gadeiriol mae ei bortreadau o'r disgyblion ac o Grist, ymysg campweithiau gan artistiaid eraill.

[477] Roedd K.B.G. yn adnabyddus yn y teulu am ollwng a thorri llestri.

[478] 'O quanta qualia / Sunt illa sabbata...' Mor fawr ac mor wych yw'r Sabathau…' Rhan o emyn gan Pierre Abélard (1079–1142) athronydd o Lydaw a droes yn fynach ar ôl beichiogi Héloïse.

[479] O Luc 1:42, sy'n rhan o weddi 'Ave Maria': 'a bendigedig yw ffrwyth dy groth'.

480 'Yn enw'r Tad a'r Mab a'r Ysbryd Glân.'

481 Celfyddyd fodern.

482 Ardal i gerddwyr.

483 Enaid mawr. Enw'n perthyn i'r bumed ganrif. Seiliodd T. Gwynn Jones un o'i gerddi mawr ar Anatiomaros.

484 Aralleiriad o Ioan 2:1, am y briodas yng Nghana, lle roedd Mair, yr Iesu a'r disgyblion: 'A'r trydydd dydd yr oedd priodas yng Nghana Galilea: a mam yr Iesu oedd yno.'

485 Yn perthyn i Odin, un o dduwiau Llychlyn, yn dduw rhyfel a barddoniaeth. Ef oedd prif dduw yr Almaen.

486 Rhwng 1959 ac 1961 codwyd gwesty yn adfeilion castell Godesburg, a adeiladwyd yn 1210. Nid yw'n bell o Bonn.

487 Mab Parcival (Peredur) yn y chwedlau Arthuraidd. Ysgrifennodd Wagner opera *Lohengrin*.

488 Duw'r daran ymysg duwiau Llychlyn.

489 Mynydd uchaf Gwlad Groeg, preswylfod y duwiau.

490 Duw'r Groegiaid, a ofalai am fugeiliaid. Canai bibau Syrinx, a enwyd ar ôl y nymff a droes yn frwyn wedi i Pan gyffwrdd â hi, a'r gwynt yn canu trwy'r brwyn (cf. n. 194.)

491 Yr Heol Sanctaidd fer sydd yn y Fforwm yn Rhufain.

492-3 Ar hyd rhan o'r ffordd hon y daethai Paul i mewn i Rufain (Actau 28:15– 6). Cafodd Paul ei garcharu yn Rhufain, ond wedi cael rhyddid am ryw dair blynedd, cafodd ei ladd yno yn 67 O.C.

494 Dywedir i San Pedr gael gweledigaeth o'r Iesu yma, wrth iddo adael Rhufain am fod ei fywyd mewn perygl. Holodd Pedr i ble roedd Iesu'n mynd ('Quo vadis'). Atebodd Iesu mai i gael ei groeshoelio eto. Dychwelodd Pedr i Rufain i gael ei ladd (cf. n. 25–26.)

495 Bu J.G.G. a'i wraig mewn cynhadledd yn Valcamonica, neu Valle Camonica.

496 Gwesty Villa Rosa, ar lan llyn Iseo, a godwyd tua 1500. Mae golygfeydd braf o'r gwesty.

497 Pentre yng nghanol Valle Camonica.

498 Mae eglwys newydd â cherflun mawr y tu allan iddi o Madonna degli Alpini.

499 Un o gampweithiau pensaernïol yr Oesoedd Canol, adeiladwyd yn bennaf 1194–1225.

500 Achau Iesu, gw. Eseia 1: 1 – 3.

501 Cynorthwyodd y Samariad trugarog Iddew, gw. Luc 10:25 – 37.

502 Amgueddfa ac oriel gelf a agorwyd yn 1902.

503 Amgueddfa ac oriel arall a adeiladwyd ar gyfer arddangosfa fawr 1900.

504 1911–74; arlywydd Ffrainc 1969–74.

505 Jean-François Champollion, 1790–1832, a gydnabyddir yn dad Eifftoleg am ei waith yn dehongli hieroglyffau.

506 Blwch cinio.

Cerddi o'r Lladin a'r Roeg

507 Titus Lucretius Carus, *c.*98 – *c.*55 C.C., bardd ac athronydd Epicwreaidd, awdur y gerdd *De Rerum Natura.*

508 Porthladd yn Boeotia lle yr ymgasglodd llynges Groeg cyn cychwyn am Gaerdroea.

509 Duwies hela, merch Zews.

510 Merch Agamemnon, arweinydd lluoedd Groeg yng Nghaerdroea. Cafodd ei aberthu ganddo i fodloni Artemis, am fod un o'r llu wedi lladd un o'i hanifeiliaid.

511 Gaius Valerius Catullus, *c.*84–54 C.C., bardd serch o ardal Verona, gw. n. 482.

512 Bardd enwocaf Rhufain, awdur yr *Aeneid.* Cyn troi at yr *Aeneid* cyfansoddodd gerdd ddidactig mewn pedwar llyfr, ar ffarmwriaeth, y *Georgica.*

513 Duw'r Groegiaid a ofalai am fugeiliaid.

514 Duw'r goedwig ym mytholeg Rhufain.

515 Roedd y Daciaid yn byw ger afon Donaw (Danube) yng nghanolbarth Ewrop, yn cyfateb i diroedd Romania a Moldofa heddiw.

516 Publius Papinius Statius, *c.*45–c.96 O.C. Ei gerdd anwocaf yw ei arwrgerdd *Thebaid,* ond y mae cerddi byrion y *Silvae* yn fwy apelgar.

517 Ym mytholeg y Groegiaid, roedd Argus Panoptes yn gawr a chanddo lu o lygaid.

518 Afon Donau (Almaeneg), Danube (Saesneg).

519 *c.*620–570 C.C., bardd a anwyd ar ynys Lesbos. Mae hi'n enwog am ei cherddi serch. 'Fe ddaethost': Sappho, fr. 205 (Page, *Lyrica Selecta Graeca*); 'Methu gwau': Sappho, fr. 221 (Page, *Lyrica Selecta Graeca*); 'Y Siom': Sappho, fr. 468 (Page, *Lyrica Selecta Graeca*).

520 Duwies serch ym mytholeg y Groegiaid. Cyfeiriad y gerdd yw *Anthologia Palatina* 5.11.

CERDDI ERAILL

521 Roedd y rhain yn rhan o bryddest 'Ebargofiant', a gafodd ei rhoi ymysg y goreuon gan Cynan yn Eisteddfod Genedlaethol Aberteifi, 1942.

522 Nodyn J.G.G.: 'Efelychir, ar y dechrau, ran o gân Catwlws (8.1-8) sy'n dechrau, "Miser Catulle, desinas ineptire".' Cynhwyswyd y gerdd yn *Cerddi'r Holl Eneidiau* (gw. n. 452) ond rhoddir hi yma eto fel rhan o'r dilyniant o bedair telyneg.

523 Nodyn J.G.G.: 'Dehonglir Nirfana yn wahanol gan rai ysgrifenwyr. Dilynir yma rai o'r emynau a geir yn *Dhamapada* (Ffordd Rhinwedd) fel y rhoir nhw yn y trosiad Saesneg o'r Pali yng nghyfres *The Sacred Books of the East.'*

524 Ganed yn Lahore, yn 1927. Bowliwr llwyddiannus Pacistán. Dewisodd chwarae i Bacistán yn lle'r India, a bu'n brif fowliwr y wlad am flynyddoedd. Cymerodd 12 wiced am 99 rhediad pan drechodd Pacistán Loegr yn 1954 yn yr Oval, yn y gêm gyntaf rhwng y ddwy wlad yn Lloegr. Cychwynnodd ei yrfa ar y lefel uchaf yn 1943. Bu farw yn 2005.

525 Martin Luther, 1483–1546, mynach, yna darlithydd, a meddyliwr a ysbrydolodd y Diwygiad Protestannaidd.

526 Pierre Abélard, 1079–1142, athronydd a diwinydd o Lydaw. Mae hanes ei garwriaeth â Heloïse yn adnabyddus. Sant Thomas Aquinas, 1225–74, athronydd a diwinydd o'r Eidal.

527 Mae gan Myfyr Hefin emyn adnabyddus nad yw yn *Caneuon Ffydd*: 'Ar y mynydd gyda Duw / O mor ogoneddus yw. / Dwndwr pechod byd ymhell, / Ninnau gyda'r bywyd gwell.'

528 Hydref 17, 1944 cyflwynodd y Senedd 'Ddiwrnod Cymreig' am y tro cyntaf, wedi ei neilltuo i drafod materion Cymru. Cyhoeddwyd y gerdd yn y *Western Mail.*

529 Cafodd siop fferyllydd Aneirin Talfan Davies yn Abertawe ei difa gan fom yn yr Ail Ryfel Byd. Aeth yntau yn ei flaen i gyhoeddi *Heddiw*, a sefydlu Llyfrau'r Dryw a dal swyddi o bwys gyda'r B.B.C.

530 Llythyr Paul at y Galatiaid, 6:7.

531 Dihareb Roeg, y dyfynnir ffurfiau arni gan Aristoteles ac eraill.

532 Publius Flavius Vegetius Renatus, y bedwaredd ganrif O.C., awdur llawlyfr ar ryfela, *Epitoma rei militaris* (yma Llyfr 3, prolog).

533 Goleuni o'r dwyrain.

534 Iphigeneia: merch Agamemnon, brenin Argos, y dywedir iddi gael

ei haberthu ganddo i Artemis yn Awlis. Bandwsia: ffynnon y canodd Horas amdani, *Carmina* (Cerddi) Llyfr III.3. Ceir sôn yn y gerdd am offrymu myn gafr i'r ffynnon, a'i waed yn cymysgu â'r dŵr.

535 Carcharwyd Geraint Eckley, a oedd yn aelod amlwg o Gymdeithas yr Iaith, dros ŵyl y Nadolig.

536 Dedfrydwyd Promethews i'w glymu wrth graig hyd dragwyddoldeb, am iddo herio gelyniaeth fympwyol y duwiau.

537 Cyhoeddwyd yn *Barn,* 270, Gorffennaf 1985, t. 244.

538 Gair Hebraeg yn dynodi preswylfod Duw, fel arfer yn y Deml yn Jerwsalem.

539 Cysylltir balm â Gilead yn llyfr Jeremeia. Mae bryniau Gilead i'r dwyrain o afon Iorddonen.

540 Guto ap Gwent, cyfreithiwr o Abertawe, a safodd sawl gwaith dros Blaid Cymru mewn etholiadau lleol a seneddol.

541 John Harris, a oedd yn bensaer ym Mhrifysgol Cymru Abertawe.

542 Un o broffwydi'r Hen Destament, tua 770 C.C.

543 Gweler Jeremeia 31:15.

544 Y fath ddiwrnod.

545 Cyhoeddwyd yn *Y Faner,* 19 Gorffennaf 1985.

546 Cylchgrawn a olygwyd gan Euros Bowen, J.G.G. a Pennar Davies, 1946–52.

547 Mae carreg er cof am Dylan Thomas ym Mharc Cwmdoncyn. Arni mae'r llinellau a ddyfynnir.

548 Bardd, 1844–89. Dysgodd Gymraeg pan oedd yn astudio diwinyddiaeth yng Nghymru, a defnyddiai gynghanedd yn ei gerddi.

549 Yng ngherdd Eben Fardd, 'Dinistr Jerwsalem' ceir y llinell 'mae'r gwaed ar y marmor gwyn'.

550 Aralleiriad o eiriau olaf Nero, *qualis artifex pereo,* 'y fath artist wyf fi sy'n marw' (Suetonius, *Nero* 49.1).

551 Cymharer â 'Y Ffliwtydd', R. Williams Parry, ''Rwyt frawd i'r eos druan' (*Cerddi'r Gaeaf,* Gwasg Gee, Dinbych, 1964, t. 43).

552 Yr enw ar bennaeth prifysgolion yn yr Almaen a gwledydd cyfagos.

553 Seren y Ci, un o'r disgleiriaf o'r sêr.

554 Duw Groegaidd a ofalai am fugeiliaid, dyfeisydd y *syrinx* (gw. n. 490 uchod); cysylltid ef â'r unigeddau, ac â theimladau o 'banig' a deimlid yno.

555 1893–59.

556 Mae cerflun mawr o Golwmbws ger y môr yn Barcelona.

557 Mab Zews, arwr mwyaf mytholeg y Groegiaid. Hercwles Rhufain.

558 Ynys yn y gorllewin, 'y tu hwnt i bileri Heracles' (Culfor Gibraltar) yn ôl Platon. Suddwyd yr ynys mewn modd dirgel tua 9,000 o flynyddoedd cyn dyddiau Platon.

559 Nodyn J.G.G.: 'Yn y llinell gyntaf a'r olaf: yr enw uchelgeisiol a roddais ar fy myfyrgell. Enw a roddodd Aristophanes ar fyfyrgell Socrates yn *Y Cymylau*: "Y Ffatri Meddwl", gyda mymryn o ddirmyg.'

560 Gogoneddu hyd lefel ddwyfol.

561 Rhanbarth mynyddig yn ne Gwlad Groeg; fe'i gwelid, yn arbennig gan Fyrsil yn ei *Fugeilgerddi,* fel mangre bywyd delfrydol, iwtopaidd.

562 Nodion J.G.G.: 'i. Y dyfyniad dechreuol: Y Prifathro Emeritws Pennar Davies mewn homili fer ar Sain Abertawe, Mehefin 1af, 1988. ii. Carwriaeth corynnod: Herbert Wendt, *The Sex Life of the Animals* (cyf. o'r Almaeneg, Llundain, 1965), 161–8 ("Cannibal Wedding").'

563 Wedi ei hadfer i fywyd.

Am restr gyflawn o lyfrau'r Lolfa,
mynnwch gopi o'n catalog rhad
neu hwyliwch i mewn i'n gwefan

www.ylolfa.com

lle gallwch archebu llyfrau ar lein

Talybont Ceredigion Cymru SY24 5AP
ebost ylolfa@ylolfa.com
gwefan www.ylolfa.com
ffôn 01970 832 304
ffacs 832 782